Préface

Une Par[illegible] Feu, parce que Parole de Dieu

Dieu, dans sa grande sagesse, a décidé de toute éternité qu'Il partagerait ses secrets intimes avec l'humain qu'il associait à son œuvre de création et d'incarnation. Il a envoyé Jésus, SA PAROLE faite chair, afin qu'il puisse dire son cœur à cette humanité chercheuse de sens à sa vie!

Et Jésus est venu comme le cœur du Père sur deux pattes! Il est venu nous dire les préoccupations du Père et surtout nous faire saisir que ce Père était aussi le nôtre! Nous sommes tous ENFANTS DU PÈRE!

Et cette Parole nous est laissée en héritage dans les mots et la présence du Ressuscité!

Et depuis, l'Église essaie de véhiculer le Christ-Parole en espérant être le moins gauche possible! Vatican II, le Concile, a décrété que la première fonction des chrétiens était de vivre et de proclamer cette Parole Source de Vie intérieure! C'est pourquoi le ministère de la Parole reste capital. Et cette Parole est Vivante... Elle habite nos cœurs et les transforme. Elle est de Feu parce qu'elle vient du cœur de l'Éternel et peut changer nos habitudes et nos mentalités!

Une Parole de Dieu véhiculée dans les émissions

*C'est pourquoi, à chacune des émissions d'*Évangélisation 2000, *il y a un moment important pour la Parole de Dieu! Quelqu'un vient commenter un passage de l'Évangile et le coller à notre quotidien. Ceci nous fait alors saisir que cette Parole n'est pas finie mais continue sa course dans le cœur de nos contemporains!*

D'ailleurs, en acceptant ce projet d'émissions de télévision, nous avions à cœur d'en faire un outil pour répandre la Parole de Dieu. Car si la Parole est semée et acceptée au fond des cœurs, le reste vient par surcroît: l'engagement, le partage et la prière!

C'est à cause de notre baptême que nous pouvons commenter la Parole de Dieu! Car la liturgie du Baptême nous dit que ce sacrement fait de nous des prophètes de Dieu, des êtres qui peuvent dire et porter la parole au nom de ce Seigneur qui nous aime! Car c'est bien là la loi de l'incarnation: Il n'a que nos bouches pour parler maintenant, Il n'a que nos jambes pour aller vers les autres comme Ressuscité, Il n'a que nos cœurs pour continuer à aimer ceux qui se meurent de ne plus croire en l'Amour!

Depuis le début des émissions de télévision, de nombreuses personnes nous demandent souvent les textes des différents enseignements. Nous avons décidé de les colliger dans ce petit volume sans prétentions, mais qui peut rendre service à notre réflexion et à notre méditation. Que ce soient des enseignements de Jean, de Sylvain ou d'un prêtre invité, ou les commentaires de laïcs invités, tout cela demeure une mine de renseignements et de commentaires. Bien loin de nous de penser que ces commentaires sont des analyses exégétiques; le seul but que nous poursuivons à travers ces petits enseignements, c'est de coller la Parole de Dieu à nos comportements quotidiens et de trouver le sens de notre vécu quand il est éclairé par la Parole de Celui qui est Vivant! Ces textes peuvent servir de méditation quotidienne et peuvent rester la bougie d'allumage pour qu'à votre tour vous décidiez d'écrire vos commentaires personnels sur cette Parole qui vient prendre vie dans votre cœur. Je me souviendrai toujours de ce professeur qui disait, lors de mes études en théologie : «Lorsque la Parole que vous lisez vous rejoint au cœur, c'est qu'elle est Vivante et qu'à ce moment, Dieu vous parle personnellement.»

Avec vous, je prends conscience que le grand cadeau du Ressuscité est SA PAIX et la COMPRÉHENSION DES ÉCRITURES. Réalisons ensemble combien c'est grand comme cadeau. Qui ne désire pas la Paix au fond de lui? Qui n'a pas le goût de mieux comprendre l'Écriture? Comme les disciples d'Emmaüs, notre cœur va se mettre à brûler en entendant cette Parole au fond de nous. Oui, elle est de Feu cette Parole! Et je souhaite qu'elle nous brûle profondément afin que notre vie ne soit plus la même du fait que nous avons rencontré le

Ressuscité qui vient parler au présent dans notre vie! Ainsi tout peut prendre un sens: les joies comme les peines. Et alors, c'est le cadeau de la Joie profonde que le monde ne peut nous donner et de la Liberté totale parce que Jésus aura saisi les fibres de notre être!

Que la lecture de ces textes vous apporte une grande Paix et une Joie qui vous donne l'élan pour avancer malgré les vicissitudes du quotidien. C'est le vœu le plus cher que je formule au nom également de Sylvain, mon complice d'amitié et de foi.

Jean Ravary, prêtre

Émission
du 10 mai 1998
Luc 2: 6-7

Marie, modèle de mère

Or il advint, comme ils étaient là, que les jours furent accomplis où elle devait enfanter. Elle enfanta son fils premier-né, l'enveloppa de langes et le coucha dans une crèche, parce qu'il manquait de place dans la salle.

Le récit de la naissance de Jésus éveille en notre cœur le souvenir du merveilleux de la nuit de Noël. Il contient aussi un enseignement précieux sur la maternité de Marie. Dans la simplicité de sa foi, Marie a posé les gestes de toute maman juive.

Or, pendant qu'ils étaient à Bethléem, le jour où elle devait accoucher arriva. Elle accoucha de son fils premier-né. Elle l'emmaillota et le déposa dans une mangeoire parce qu'il n'y avait pas de place pour eux dans la salle d'hôte.

Jean: C'est curieux, Gaston, en ce temps-ci de l'année, c'est au mois de mai que nous parlons de la Vierge avec un texte de Noël. J'aimerais que tu nous dises pourquoi tu as choisi ce texte-là?

Gaston: Si j'étais malin, je dirais d'abord: c'est parce que ça va mettre un peu de fraîche en pleine chaleur, mais c'est la fête des mères, et je me disais qu'il y a moyen d'aller chercher chez Marie une référence à cette fête-là. Marie, on l'a peut-être vue comme un personnage extraordinaire qui est un petit peu situé parfois en dehors de la réalité. Marie a été une mère, une jeune mère juive, et il me semble que c'est important de la découvrir dans les premiers gestes qu'elle va poser comme une maman juive. C'est pour ça que j'ai repris le texte de la naissance de Jésus qui nous fait voir une Marie toute proche de nous, une Marie toute simple, une Marie comme les mamans juives au fond.

Jean: Trouves-tu qu'on a donné une place à Marie qui n'était pas la bonne, on l'a comme trop idéalisée et on ne l'a pas assez vue comme quelqu'un d'ordinaire?

Gaston: Moi, je crois qu'on a redécouvert ce que Paul VI disait. Paul VI, dans l'homélie de la fin du Concile, a parlé de notre *sœur* Marie. Il me semble que c'est une dimension qu'on ne connaît pas parce qu'on l'a beaucoup idéalisée, on la voit souvent en statue avec sa couronne autour de la tête, mais on oublie que c'est une personne vivante. On en a fait presque la quatrième personne de la Trinité, mais ils sont juste trois! Alors, il y a une de trop, et il faut qu'elle revienne parmi nous. Elle est là parmi nous, et je dirais que c'est une femme bien en chair et vivante qui a vécu comme une maman juive, et c'est ça qu'on découvre dans ce texte-là.

Jean: Et qui a vécu ses drames de foi: quand l'ange lui annonce qu'elle va être mère de Dieu, c'est assez inusité!

Gaston: Oui, ça dérange son programme, ce n'était pas prévu. Moi, je veux la revoir dans des gestes qui sont très beaux, et je pense à ce récit de la naissance et le texte dit: «Quand l'heure vint où elle devait enfanter», et ça, c'est extraordinaire, parce que Dieu respecte sa créature et il a respecté chez Marie le temps de sa grossesse comme il respecte le temps de la grossesse chez toutes les mamans. C'est extraordinaire qu'une maman réalise tout à coup que Dieu la respecte dans ce qu'elle est, dans ses neuf mois de grossesse et lui laisse le temps que ce soit le moment de l'accouchement. Il aurait pu dire pour Marie de toute façon, je vais m'incarner une fois, sur l'heure avancer quatre mois de grossesse, ça va être correct, mais il l'a respectée.

«Quand l'heure vint où elle devait accoucher», c'est elle qui devait accoucher, «elle mit au monde son fils premier-né», et là on dit: «elle l'emmaillota». Ça a l'air tout simple comme geste. Elle a fait comme toutes les jeunes mamans juives faisaient. Une maman juive, lorsqu'elle accouchait de son enfant, elle le lavait, le frottait d'huile et elle l'entourait de bandelettes. C'est une coutume comme nous aussi nous avons nos coutumes. Moi, quand j'étais jeune, on nous emmaillotait avec une bande pour le nombril! Je ne sais pas si on est plus intelligents, si on a le nombril plus rentré, faudrait voir! Toutes les mamans faisaient ça. Marie, elle a fait ce que toutes les mamans juives faisaient, elle a emmailloté son petit, entouré de bandelettes, et on sait maintenant qu'elle a fait ça parce que les gens voulaient que les enfants grandissent les pattes droites. Et ensuite, elle l'a déposé dans une mangeoire parce qu'il y n'avait pas de place pour eux à la salle d'hôte.

Ce qui me frappe c'est de voir ce qu'elle a fait, probablement ce qu'elle a vu faire chez sa mère, ce qu'elle a vu faire chez les autres femmes, et elle s'est comportée comme une vraie maman, une jeune maman juive et c'est beau.

Jean: C'est des détails qu'on ne sait pas toujours et c'est ça qui est précieux quand tu nous donnes ces petits détails-là. Marie qui a enfanté Jésus et qui l'a déposé dans une mangeoire, ce n'était pas son projet non plus?

Gaston: Non, son projet était un petit peu dérangé parce qu'il y avait un gros boursouflé qui s'appelait César qui voulait justement savoir combien il avait de monde qui dépendait de lui. Il a organisé un recensement et a obligé tout le monde à se rendre chacun dans sa ville d'origine. Marie, qui était à Nazareth avec Joseph, a dû se rendre à Bethléem. Ça aussi a dérangé ses plans, parce que quand je regarde mes frères, mes sœurs et les jeunes couples d'aujourd'hui, quand ils attendent un enfant, tout ce que ça prend, c'est incroyable, il y en a qui changent de voiture pour embarquer le stock, les biberons, etc.! Mais Marie est partie à dos d'âne et elle a accouché à l'étranger. Et quand je pense à ses premiers visiteurs qui étaient des marginaux, qu'elle est à l'étranger et qu'elle les voit entrer chez elle, c'est du sport!

Jean: Gaston, qu'est-ce que c'est le trait principal de Marie, comme une des nôtres, que tu voudrais qu'on retienne en cette fête des mères?

Gaston: C'est une vraie mère qui a appris sa maternité à partir de la naissance de son enfant et qui va l'apprendre sa maternité jusqu'au pied de la croix. Elle a *appris* sa maternité.

Jean: J'aimerais ça qu'on offre au Seigneur dans une courte prière tout simplement l'Action de grâces d'avoir Marie avec nous:

Béni sois-tu, Seigneur, d'être ce Dieu qui nous fait découvrir Marie, Marie comme notre mère, Marie comme toutes les autres mères et Marie proche de nous. Merci Seigneur en cette Fête des mères de faire en sorte que Marie puisse prier pour toutes les mamans et pour nous maintenant. Merci pour cette mère que nous apprenons à découvrir davantage et rends-nous disponibles à la parole comme elle-même l'a été.

Amen.

Abbé Gaston Vachon
Abbé Jean Ravary

Émission
du 17 mai 1998
Jean 14: 1-7

Jésus, le seul chemin

«Que votre cœur ne se trouble pas! Vous croyez en Dieu, croyez aussi en moi. Dans la maison de mon Père, il y a de nombreuses demeures, sinon, je vous l'aurais dit; je vais vous préparer une place. Et quand je serai allé et que je vous aurai préparé une place, à nouveau je viendrai et je vous prendrai près de moi, afin que, là où je suis, vous aussi, vous soyez. Et du lieu où je vais, vous savez le chemin.» Thomas lui dit: «Seigneur, nous ne savons pas où tu vas. Comment saurions-nous le chemin?» Jésus lui dit: «Je suis le Chemin, la Vérité et la Vie. Nul ne vient au Père que par moi. Si vous me connaissez, vous connaîtrez aussi mon Père; dès à présent vous le connaissez et vous l'avez vu.»

Ça fait un petit peu bizarre de se retrouver ici à la place de la prédication, mais quand j'ai vu ce texte-là, c'est un texte qui me touche énormément, où Jésus nous dit qu'il est le seul chemin!

Quand Jésus nous dit: «Je suis le seul chemin, la

vérité et la vie», ça me fait penser que nous, comme humains, comme personnes humaines, si on avait à partir en voyage, je sais que beaucoup d'entre vous partirez bientôt pour des vacances, et si vous allez à une place où vous n'êtes jamais allés, vous allez sûrement prendre le temps de vous acheter une carte routière, ou une *map* comme on dit, pour être sûrs d'arriver à destination.

Je me dis que, dans notre vie terrestre, dans la vie qu'on a à vivre tous les jours, si on veut arriver à la bonne destination qui est la vie éternelle, on a intérêt à se servir de la carte routière, à se servir d'une *map*. Et certains diront: «Oui, ce serait *le fun* qu'on l'ait la *map* pour savoir où on s'en va!»

Et bien, cette carte routière nous a été donnée gratuitement par Dieu, et c'est la Parole de Dieu que je tiens dans mes mains. Si on prenait le temps de la lire à tous les jours, on découvrirait ce que Jésus nous dit aujourd'hui: «Je suis le seul Chemin, je suis la Vérité, je suis la Vie.» Mais combien de fois, malheureusement, on cherche dans toutes sortes de choses qui ne sont pas de Dieu. Je vois dans le monde moderne aujourd'hui des gens qui cherchent la vérité dans l'ésotérisme, dans les sciences occultes, dans le Nouvel âge, dans les nouvelles modes de lignes téléphonique où on peut appeler et ça coûte très cher pour se faire dire notre avenir. Et quand on a cette Parole de Dieu, cette carte routière, on n'a pas besoin de ces choses-là! Et quand on prendra conscience que c'est vraiment une perte de temps, qu'on cherche le bonheur là où il n'est pas, qu'on cherche dans des eaux polluées, alors que Jésus veut nous donner une eau pure. Souvent, on ressort de ces expériences-là déçu, brisé. Je peux parler en connaissance de cause, j'ai déjà été pris dans ces choses de sciences occultes, de Nouvel âge et toutes ces choses-là!

Et quand on redécouvre la beauté et qu'on réalise que Jésus est vraiment le seul Chemin, notre vie change à tout jamais. Ça nous prouve à quel point l'être humain cherche souvent à de mauvaises places, et ça me fait penser à cette petite histoire d'un homme d'une cinquantaine d'années... Il était à peu près minuit et demi, une heure du matin, il faisait noir et l'homme avait bu beaucoup. Il cherchait quelque chose sur un coin de rue. À un moment donné, les policiers ont vu qu'il avait l'air à avoir pris un coup solide et ils se sont arrêtés près de lui pour lui demander: «Qu'est qu'il y a? Est-ce qu'il y a quelque chose qui ne va pas?» Il dit: «Oui, j'ai perdu mon portefeuille et je le cherche partout!» Et les policiers lui ont dit: «Mais vous l'avez perdu où votre portefeuille? — Je l'ai perdu de l'autre côté de la rue. — Mais pourquoi vous le cherchez sur ce côté-ci de la rue?» Et il répond: «Sur ce côté-ci, il y a plus de lumière!»

Et ça nous fait penser à nous autres, les êtres humains. Souvent, on cherche les choses là où elles ne sont pas, malheureusement, dans notre monde moderne. Et j'espère, parce que je sais que tous les gens qui écoutent l'émission et toute la société, le monde entier, cherchent la même chose. Ils cherchent le vrai bonheur, ils cherchent la vérité et la vie en abondance. Mais quand on prendra le temps, au lieu de faire comme ce monsieur qui ne cherchait pas à la bonne place, de revenir à l'essentiel qui est la Parole de Dieu, on ne pourra pas se tromper et ça, j'en suis convaincu.

Il faudrait se poser une question aujourd'hui, et je m'adresse à chacun de vous, que vous soyez dans votre maison, dans votre salon, que vous soyez à l'hôpital, que vous soyez dans un foyer de personnes âgées, peu importe où vous êtes! Une question très simple: «Pourquoi vivez-vous?» Est-ce que vous vivez seulement pour le succès? Seulement pour l'argent? Seulement pour le plaisir? Seulement pour le pouvoir? Est-ce que vous êtes perdu parce que vous n'avez pas découvert cette carte routière? Vous avez peut-être cherché dans toutes sortes de choses dans votre vie, votre passé n'est peut-être pas reluisant, peut-être que parfois vous vous dites: «Le Seigneur ne peut m'accepter avec tout ce que j'ai fait dans ma vie.» Bien moi, je vais vous dire que oui! Il n'est jamais trop tard, parce que quand on prend le temps d'accepter Jésus comme Sauveur personnel, le passé est terminé. On est capable de recommencer une vie nouvelle dès aujourd'hui. J'entends déjà des objections des gens à la maison qui vont dire: «Non, moi, j'en ai trop fait, le Seigneur ne peut pas m'aimer comme ça!» Et moi je vous dis: «Vous vous trompez, pour le Seigneur il n'y a jamais rien de trop grave, il n'y a jamais rien de trop important pour que vous ne puissiez pas aujourd'hui revenir à Lui.» Moi, je vous promets une chose, parce que c'est des promesses, la Parole de Dieu, et Jésus, ce n'est pas un menteur. Que si vous l'acceptez aujourd'hui comme Sauveur personnel, vous ne serez plus jamais seul, plus jamais! Et ça c'est une promesse. Avec Jésus, le passé est terminé, c'est fini, et à partir d'aujourd'hui, si vous le voulez, vous pouvez vraiment recommencer une vie nouvelle dans la joie, dans la vraie paix et dans la vraie liberté des enfants de Dieu. Vous allez voir qu'en choisissant Jésus aujourd'hui comme votre Sauveur à vous, la vie peut changer à tout jamais.

J'aimerais, si vous le voulez, les gens à la maison, qu'on puisse prier ensemble pour offrir ça à Jésus, lui qui est le Maître de l'impossible. Qu'on prenne le temps d'offrir cette démarche qu'on veut peut-être faire avec Lui et de dire au Seigneur:

J'ai le goût de Te suivre. Seigneur Jésus, c'est Toi qui nous a dit: «Cherchez et vous trouverez.» Seigneur, Tu sais, aujourd'hui, il y a des milliers de personnes qui écoutent cette émission et qui cherchent un sens à leur vie. C'est vrai parfois, ils ont peut-être cherché dans des choses qui ne sont pas très belles, mais pour Toi, Seigneur, il n'est jamais trop tard. Aujourd'hui, j'ai le goût de Te dire au nom de ces gens-là: «Tel que je suis, Seigneur, je viens à Toi, avec mes limites, mes pauvretés, toutes les erreurs que j'ai pu faire, parce que je sais qu'avec Toi, Jésus, Tu me prendras sur tes épaules. Qu'on puisse marcher ensemble sur le chemin de la vérité, sur le chemin de la vie en abondance, sur ce chemin qui mène à la sécurité et à la liberté des enfants de Dieu.» Seigneur, je veux T'offrir tous ces gens qui cherchent et je sais que Toi, Tu ne les décevras pas. Ils ont peut-être été déçus dans tellement de choses, mais Toi, Seigneur, Tu nous promets la vie en abondance.

Amen.

Sylvain Charron

Émission du 24 mai 1998
Luc 8: 49-55

L'élan de l'espérance

Tandis qu'il parlait encore, arrive de chez le chef de synagogue quelqu'un qui dit: «Ta fille est morte à présent; ne dérange plus le Maître.» Mais Jésus, qui avait entendu, lui répondit: «Sois sans crainte, crois seulement, et elle sera sauvée.» Arrivé à la maison, il ne laissa personne entrer avec lui, si ce n'est Pierre, Jean et Jacques, ainsi que le père et la mère de l'enfant. Tous pleuraient et se frappaient la poitrine à cause d'elle. Mais il dit: «Ne pleurez pas, elle n'est pas morte, mais elle dort.» Et ils se moquèrent de lui, sachant bien qu'elle était morte. Mais lui, prenant sa main, l'appela en disant: «Enfant, lève-toi.» Son esprit revint, et elle se leva à l'instant même. Et il ordonna de lui donner à manger.

Jésus vient nous faire comprendre qu'il n'y a pas de solution sans issue. L'espérance de son action nous fait avancer et foncer dans un avenir qui prend la couleur de son amour!

C'est une belle parole que celle qui vient d'être proclamée, parce que Jésus se montre le maître de la vie. Le chef de la synagogue s'appelait Jaïros. On a, dans saint Luc, une description de son action. Vous savez, perdre un enfant comme on vient d'entendre dans le témoignage de Monsieur Bruneau, j'essaie de me le représenter, moi qui n'ai pas d'enfant, mais j'imagine que pour des parents, perdre un enfant, ça doit être épouvantable. Pour Jaïros, c'était la même chose. On dit: «Ne dérange plus le Maître, la petite est morte, ça ne vaut pas la peine.» Et Jésus dit, Jésus qui avait entendu lui répondit: «Sois sans crainte, crois seulement.»

Jésus vient nous faire comprendre que Dieu n'est pas un sadique, Il ne vient pas permettre que des parents investissent tant d'amour dans leurs enfants pour que ça tombe dans le néant. Et Jésus, en attendant, vient comme contrer ce qu'on entend encore de nos jours. Je suis sûr que vous aussi vous avez entendu des personnes qui vous ont dit: «Après la vie, c'est le trou, puis c'est fini, puis il n'y a plus rien.» Et le Seigneur vient nous dire: «Moi je suis revenu après cette mort, moi j'ai passé par la mort et je suis revenu à la vie: c'est ça ma résurrection.» Quand j'entends des personnes me dire: «Mais il n'y a personne qui est revenu nous dire ce qui se passe de l'autre côté.» Il y a le Christ, et le Christ nous donne sa Parole et Il nous dit la même Parole qu'Il dit à Jaïros: «Sois sans crainte, crois seulement, fait adhérer ton cœur à la Parole que je te donne.»

Le Seigneur nous demande de comprendre que la Foi, ça commence dans l'accueil d'une Parole dans notre cœur. Il ne s'agit pas juste d'entendre la Parole dans nos oreilles bien sûr, mais il faut qu'elle descende au fond du cœur; tout se passe dans le cœur avec Jésus. Et voilà qu'Il prend les trois témoins privilégiés de sa vie intérieure, les trois témoins qui ont participé à sa transfiguration: Pierre, Jacques et Jean. Avec les parents, Il entre dans la pièce où la petite fille repose et Il dit: «Ne vous en faites pas, elle n'est pas morte, elle dort.» Comme c'est beau!

Souvent, il y a des gens autour de nous qui nous donnent l'impression qu'ils sont morts. On en fait la conclusion en disant: «Il n'y a rien à faire avec eux.» Et pourtant, le Seigneur vient nous dire: «Non, pour Dieu personne n'est mort parce que la mort n'existe pas, la vie n'est pas détruite, elle est transformée.» Souvent, des personnes peuvent être endormies, on a l'impression qu'elles ne produisent rien, l'impression qu'elles vont nulle part, et Jésus vient nous redire: «Ne vous en faites pas, elle n'est pas morte, elle dort. Et moi, je m'en viens par la présence de mon Esprit réveiller ces morts, réveiller ces morts qui sont endormis pour qu'ils retrouvent une vie nouvelle.»

En préparant ce thème et en lisant saint Luc, je pensais à ce qu'on a vécu cet hiver. Vous avez tous vu et vécu la même chose quand on a vu les arbres tomber, le verglas; on a dit: «C'est effrayant, tous les arbres vont mourir.» Et maintenant, c'est le printemps, on voit que même si les arbres ont été cassés, même si les branches ont été brisées, il y a une vie nouvelle qui fait sortir les feuilles, les arbres sont d'un vert tendre et il y a un printemps qui s'annonce. Les arbres n'étaient pas morts, ils vivent d'une autre façon. Jésus vient nous dire que quand tu penses que quelqu'un est mort, pense qu'il peut être endormi dans sa foi, qu'il peut être endormi dans sa façon de faire, qu'il peut être endormi dans l'attitude qu'il peut avoir, ne désespère jamais de quelqu'un. La pire chose qu'on peut dire de quelqu'un, c'est de dire de lui ou d'elle qu'il n'y a rien à faire avec lui ou avec elle.

Le Seigneur vient nous donner cette espèce de vie d'espérance et nous dit: «Marchez, j'ai besoin de vous.» Quand j'entendais Pierre Bruneau qui parlait de son fils Charles, qui voulait tellement guérir et qui a été déçu de voir que la maladie gagnait de plus en plus en lui, qui en est mort, déçu, il a dit à son père: «Il faut que tu continues.» Monsieur Bruneau, avec une lumière dans les yeux, a dit: «Charles continue, je continue au nom de Charles ce combat, c'est pourquoi j'accepte des conférences, j'accepte d'aller un peut partout dire que Charles n'est pas mort.» Et ça m'a saisi quand il m'a dit: «Vous voyez, sa photo est dans la salle à manger, c'est mes enfants qui m'ont demandé de mettre sa photo, parce qu'en mangeant à la table de famille, Charles fait partie de la famille et est à table avec nous.» C'est tellement bouleversant d'avoir des messages comme ceux-là qui viennent nous chercher dans notre espérance et dans notre foi. Il n'est pas mort, la vie a été transformée.

Quand on pense que quelqu'un est mort et est vraiment coupé définitivement de toute source de vie, il dort, c'est jésus qui nous le dit. «Et Jésus prit la fille, la releva et la rendit à ses parents. L'Esprit revint en elle...» — c'est ça l'année de l'Esprit saint où il nous est dit: «L'Esprit saint viendra dans ces êtres dont vous désespérez pour vous donner cette certitude que Jésus est là.»

Seigneur, sois béni parce que c'est vrai que Tu es là au cœur de ceux dont nous désespérons parfois. Béni sois-tu d'être ce Dieu de la vie en abondance. Recrée en nous un printemps, Seigneur, et recrée en nous ce printemps qui nous donne le goût d'avancer et qui nous donne l'élan du Ressuscité.

Amen.

Abbé Jean Ravary

Émission
du 7 juin 1998
Jean 20: 14-15

Marie de Magdala

Ayant dit cela, elle se retourna, et elle vit Jésus qui se tenait là, mais elle ne savait pas que c'était Jésus. Jésus lui dit: «Femme, pourquoi pleures-tu? Qui cherches-tu?» Le prenant pour le jardinier, elle lui dit: «Seigneur, si c'est toi qui l'as emporté, dis-moi où tu l'as mis, et je l'enlèverai.»

La mort demeure toujours une pierre d'achoppement. Malgré les phrases des poètes — «C'est beau la mort, c'est plein de vie dedans...» — nous nous retrouvons devant un grand mystère. Pour reprendre le *Cantique des Cantiques*: «Celui que mon cœur aime, quelqu'un l'aurait-il vu?» Oui, il est parmi les vivants.

Jean: Alors, chers amis, encore cette semaine, je suis avec l'abbé Gaston Vachon. Le couple qu'on vient de recevoir est très émouvant. Je pense que c'est de grands amis pour toi, tu étais présent lors de cet événement-là, la mort de Jonathan. Et la parole de Dieu est en fonction de cette expérience qu'ils ont vécue, c'est l'épisode de Marie de Magdala. Quels rapprochements fais-tu avec ce qu'ils ont vécu?

Gaston: Marie de Magdala, c'est une femme qui a perdu Jésus qu'elle aimait beaucoup. Le matin de Pâques, elle s'en va au tombeau pour aller poser les derniers gestes de respect. Elle se retrouve au tombeau et ne voit plus celui qu'elle aimait. Marie de Magdala, c'est expérience de toute personne qui se retrouve face à la mort. La grande question qui se pose est celle que j'ai entendu poser par Gérald et Nicole: «Où est-il? Où il est rendu?» C'est la même chose qu'on retrouve dans l'épisode de Marie de Magdala. Cette femme-là, qui est affolée, angoissée, et qui a le cœur à la dérive et qui se demande où il est, Jésus. Sa souffrance, elle va essayer de l'exprimer du mieux qu'elle peut. Elle va rencontrer Jésus qui va lui apparaître, et elle pense que c'est le jardinier, elle ne le reconnaît même pas, et c'est normal, parce qu'elle pleure. C'est de là que vient l'expression «Marie-Madeleine» quand on dit qu'elle «pleurait comme une Madeleine». Comment ça se fait qu'elle ne l'a pas reconnu? Ça s'explique: elle avait les yeux pleins d'eau, et quand on a les yeux pleins d'eau, ce n'est pas sûr qu'on a une bonne vision.

Jésus ne se présente pas nécessairement de la même façon qu'elle avait imaginée, et ça nous dit en même temps que celui ou celle qui est parti demeure vivant, mais pas nécessairement de la même manière. Comme elle ne reconnaît pas le Jésus qu'elle l'aime, parce que c'est comme de reprendre le texte du *Cantique des Cantiques:* «Celui que mon cœur aime, quelqu'un l'aurait-il vu?» C'est ça, son cri de souffrance: «Où est-il? Est-ce que je vais le revoir? Je veux le revoir et je voudrais qu'il vienne avec moi.» Elle s'exprime dans sa souffrance comme elle le peut. Elle dit des choses qui n'ont pas d'allure comme: «Si c'est toi qui l'as pris, dis-moi où il est, puis je vais aller le chercher.» Qu'est-ce que tu veux qu'elle fasse avec un cadavre! C'est une façon de dire: «Je veux le revoir, je m'en ennuie et je veux qu'il revienne.»

Jean: L'étape que Nicole et Gérald ont vécue au début, c'est normal de ne plus rien comprendre, de délirer et de dire n'importe quoi finalement.

Gaston: C'est tout à fait normal, une peine comme ça, on l'exprime comme on peut, on crie, on demande de l'aide et on demande où l'autre est parti.

Jean: Quand tu as été appelé à être proche d'eux dans cet événement-là, c'était de grands amis depuis beaucoup d'années; tu m'as confié que c'était dur pour toi de savoir comment articuler un message autour de ça. Ce n'est pas facile pour nous de dire des paroles d'espérance là-dedans?

Gaston: Non, ce n'est pas évident, mais dans un cas comme ça, il s'agit d'écouter et d'écouter la souffrance de ces personnes-là; c'est ce que j'ai essayé de faire et finalement d'aller au niveau du cœur. On peut raisonner les choses, mais c'est au niveau du cœur. Comme le message de Jésus dans l'Évangile où il lui a dit: «Marie.» Il l'a appelée par son nom, ça ne prouve rien, mais c'est clair que son nom prononcé de cette manière-là avec cette intonation-là, il n'y a rien que lui qui pouvait parler comme ça. Ça rejoint une chanson de Ginette Reno qui dit: «Le plus beau cadeau que la vie nous ait fait, c'est lorsque notre prénom sonne comme un mot gentil.» Ça ressemble à ça, il faut que la personne entende dans son cœur parler l'autre. C'est clair dans le cas de Gérald et Nicole: ils l'ont entendu, ça c'est évident qu'ils l'ont entendu dans leurs cœurs, et c'est à partir de là, comme Marie de Magdala disait *rabounni* qui veut dire «Jésus», qu'ils ont pu dire «Jonathan».

Jean: C'est pour ça que dans l'Évangile, après la résurrection, tous ceux qui ont fait l'expérience du Ressuscité réalisent que c'est Lui quand leur cœur est de la partie.

Gaston: Exactement, comme les disciples disaient: «Est-ce que notre cœur ne devenait pas chaud quand il nous parlait?» C'est au niveau du cœur que ça entre et qu'on entend cette personne-là. C'est l'expérience de Marie de Magdala et de Gérald et Nicole. Aux funérailles, Nicolas était venu parler alors que je ne voulais pas entendre aucun témoignage à cette occasion-là, et qui était venu me voir en avant en disant: «Je veux dire quelque chose au nom de Jonathan.» Il avait fini son petit message en disant: «Papa, maman, je vous aime.» Au nom de Jonathan. Alors je me dis: c'est ça être vivant; d'autres vont le dire au nom de celui qui est parti et vont l'entendre dans leur cœur comme si c'était l'autre qui le disait, et en même temps Jésus se manifeste par d'autres personnes et Il nous dit ce que l'on veut entendre.

Jean:

Seigneur, ceux qui vivent des situations difficiles, fais-leur comprendre que c'est la présence du cœur qui est importante et rends-nous disponibles au message que Tu as à nous donner par ceux qui nous ont quittés. Merci pour ce beau témoignage et merci pour cet enseignement sur Marie de Magdala.

Amen.

Abbé Gaston Vachon
Abbé Jean Ravary

Émission
du 14 juin 1998
Marc 12: 28-34

Aime ton prochain comme toi-même

Un scribe qui les avait entendus discuter, voyant qu'il leur avait bien répondu, s'avança et lui demanda: «Quel est le premier de tous les commandements?» Jésus répondit: «Le premier c'est: "Écoute, Israël, le Seigneur notre Dieu est l'unique Seigneur, et tu aimeras le Seigneur ton Dieu de tout ton cœur,de toute ton âme, de tout ton esprit et de toute ta force." Voici le second: "Tu aimeras ton prochain comme toi-même." Il n'y a pas de commandement plus grand que ceux-là.» Le scribe lui dit: «Fort bien, Maître, tu as eu raison de dire qu'Il est unique et qu'il n'y en a pas d'autre que Lui: L'aimer de tout son cœur, de toute son intelligence et de toute sa force, et aimer le prochain comme soi-même, vaut mieux que tous les holocaustes et tous les sacrifices.» Jésus, voyant qu'il avait fait une remarque pleine de sens, lui dit: «Tu n'es pas loin du Royaume de Dieu.» Et nul n'osait plus l'interroger.

Dans ce texte, Jésus nous révèle une chose d'importance capitale: si nous voulons être capables de dire: «Je t'aime» à quelqu'un, nous devons d'abord nous aimer nous-même. Et cela n'est pas de l'orgueil, car le Seigneur veut nous faire prendre conscience que nous sommes les enfants du Roi des Rois.

Pour moi, c'est une phrase qui me touche énormément: «Aime ton prochain comme toi-même.» Qu'est-ce qu'on doit comprendre quand Jésus dit cette très belle phrase? On a eu tendance, dans les années passées, à se déprécier. À se dire: «Moi, je ne suis rien, je n'ai pas de talent, je suis né pour un petit pain et je ne sais pas pourquoi je suis sur la terre.» Vous savez que quand on a une attitude comme ça, ça ne doit pas faire plaisir à Dieu. Quand on prendra conscience que notre Père, Il est le Roi des Rois et qu'on a la chance d'être ses fils et ses filles, là tout peut changer. Quand on prendra conscience que notre Père, ce n'est pas n'importe qui! Il nous a fait à son image et à sa ressemblance. Quand on dit qu'on n'est rien, qu'on n'a pas de talent, et qu'on est venu sur terre pour rien, je pense que ce n'est sûrement pas le projet de Dieu pour chacun de nous.

Quand on dit: «Aime ton prochain comme toi-même», souvent je pense à combien de fois on n'aime pas toujours notre prochain, combien de fois on est toujours porté à critiquer ceux qui sont à coté de nous parce qu'ils ne vivent pas de la même façon que nous. À travers cette phrase-là, le Seigneur veut nous apprendre à ne plus juger et à respecter l'autre là où il est rendu, et ça c'est bien important. Combien de fois je vois certaines personnes dans mon entourage, aussitôt que quelqu'un est en dehors du chemin un petit peu, elles le pointent du doigt, et ça ce n'est sûrement pas une attitude que Jésus aime beaucoup de ses croyants et croyantes. J'espère qu'on pourra prendre conscience de la portée de cette phrase-là: «Aime ton prochain comme toi-même.»

Comme le texte le disait: «Comment peux-tu dire à quelqu'un "je t'aime" si tu ne t'aimes pas?» Un jour, il y avait un professeur de catéchèse qui faisait visiter une très belle cathédrale à des jeunes de dix à douze ans. Le professeur a dit aux jeunes: «Ce que vous voyez ici, c'est ce qu'il y a de plus beau au monde!» Il y avait des vitraux et des choses extraordinaires. Un jeune très allumé a eu l'audace à dire: «Je ne suis pas d'accord avec vous! Je crois que pour Dieu, je suis plus important que cette cathédrale-là, parce que moi, je suis un temple vivant.» Comme il avait raison! L'être humain, l'homme et la femme valent plus que tous les diamants du monde. Si on pouvait prendre conscience de ça, si on pouvait prendre conscience que le Seigneur ne nous a pas mis sur terre pour ne rien faire, nous avons chacune et chacun une mission à accomplir. Si on est venu sur cette terre, peu importe notre condition, on peut changer la vie de quelqu'un. Le Seigneur nous a mis dans le cœur à chacun: «Tu peux changer le monde si tu veux.» Si on regarde l'exemple très négatif et très mal d'Hitler, cet homme seul a réussi à détruire des millions de personnes. Mais imaginez-vous s'il avait mis son talent au service du bien, comment ç'aurait été extraordinaire. Chacun de nous a le potentiel de changer le monde, et ça, j'espère que les jeunes qui écoutent, et les plus âgés, pourront prendre conscience de cette mission que nous avons. Quand on dit: «Aime ton prochain comme toi-même», il faut cesser de se déprécier parce que ce n'est pas de l'orgueil, c'est de la fierté d'être capable de dire: «Moi, je suis le fils, je suis la fille du Roi des Rois, et Il me demande de me tenir debout, et ça c'est très important.»

Il y a aussi une belle histoire qui me fait sourire. Vous savez que le Seigneur ne regarde jamais l'extérieur de quelqu'un: Il regarde toujours l'intérieur. Un jour, dans un petit village, il y avait un vendeur de ballons qui se promenait. Il était arrêté sur le coin d'un trottoir et décida, pour attirer des gens à acheter ses ballons, de faire monter des ballons bleus, des ballons blanc et des ballons rouges. Beaucoup de jeunes voulaient acheter des ballons, et à un moment donné, il y avait un petit enfant noir de cinq ou six ans qui était tout triste et qui est allé voir le monsieur et lui a dit: «Vous lancez des ballons de toute sortes de couleurs, pourquoi vous n'en lancez pas des noirs? Est-ce que c'est parce que les noirs, ça ne monte pas?» Le monsieur lui a répondu: «Ce qui fait monter le ballon, ce n'est pas sa couleur, mais c'est ce qu'il y a dedans!» Et ça, il faudrait peut-être s'en souvenir, chacun et chacune de nous, arrêtons de regarder les erreurs que quelqu'un peut faire, mais prenons le temps de regarder à l'intérieur et il y a une beauté extraordinaire.

Quand on prend conscience que des gens ont pu faire des choses terribles dans leur vie et revenir à Dieu, ça c'est extraordinaire. Je connais une dame d'environ 75 ans que j'aime beaucoup et qui me fait sourire, mais pendant toute sa vie, elle a toujours dit: «Moi je ne suis rien, le Seigneur ne m'a pas donné de talent je n'ai rien.» Quand je parlais avec elle, les gens qui l'aimaient lui disaient: «Mais voyons, tu es extraordinaire, tu es le plus grand miracle du monde, et apprécie la vie que le Seigneur t'a donnée, apprécie le sourire que tu peux donner aux autres, apprécie la santé que tu as.» Souvent, on ne se rend même pas compte qu'on a des yeux pour voir les choses extraordinaires de la nature, on ne se rend pas compte qu'on a nos oreilles pour entendre de si belles musiques, on ne se rend pas compte qu'on a nos jambes pour pouvoir faire des randonnées et être capables de nous déplacer un peu partout. Si on prenait conscience aujourd'hui, chacun et chacune de nous à la maison, de tout ce que le Seigneur nous a donné, on apprendrait à s'aimer un peu plus. Être capable de donner de l'amour aux autres, c'est d'abord s'aimer soi-même.

J'aimerais maintenant qu'on prenne un petit moment de prière pour offrir ça au Seigneur:

Seigneur Jésus, Tu nous dis aujourd'hui: «Aime ton prochain comme toi-même». Comme Tu as raison. Pardonne-nous, Seigneur, de parfois se déprécier en disant: «Moi je ne suis rien, moi j'ai pas de talent». Pardonne-nous, Seigneur, cette attitude. Tu nous veux debout avec plein de projets, avec tout ce qu'il faut pour aider notre prochain, donner de l'amour. Fais-nous prendre conscience aujourd'hui, Seigneur, que si nous voulons dire: «Je t'aime» à quelqu'un, nous devons d'abord nous aimer nous-mêmes et apprécier le don extraordinaire que Tu nous as fait, le plus beau cadeau du monde, le privilège de recevoir la vie.

Amen.

Sylvain Charron

Émission
du 21 juin 1998
Jérémie 1: 4-8

Nous avons du prix aux yeux de Dieu

La parole de Yahvé me fut adressée en ces termes: «Avant même de te former au ventre maternel, je t'ai connu; avant même que tu sois sorti du sein, je t'ai consacré; comme prophète des nations, je t'ai établi.» Et je dis: «Ah! Seigneur Yahvé, vraiment, je ne sais pas parler, car je suis un enfant!» Mais Yahvé répondit: «Ne dis pas: "Je suis un enfant!", car vers tous ceux à qui je t'enverrai, tu iras, et tout ce que je t'ordonnerai, tu le diras. N'aie aucune crainte en leur présence, car je suis avec toi pour te délivrer, oracle de Yahvé.»

Toute personne est appelée par Dieu à réaliser une mission qui lui est propre. Nous avons du prix aux yeux de Dieu, Il nous invite à collaborer à l'œuvre de la Rédemption. La mission que Dieu nous confie sera celle qui nous réalisera pleinement.

Jean: Guy, la Parole de Dieu qui est proposée aujourd'hui, tu l'as prise parce que c'est une parole qui vient te chercher beaucoup. Cette parole me rejoint aussi, parce qu'on est tous un peu fragiles devant ce que Dieu peut nous demander, comme Jérémie qui se sentait comme un petit enfant. Est-ce que ça te rejoint dans ce sens-là, toi aussi?

Guy: Moi, en écoutant le témoignage de Mario, je disais: «C'est une parole qui arrive vraiment à point pour nous montrer qu'on est quelqu'un.» On est importants, et Dieu nous prend au sérieux, et quand on vient au monde, on ne vient pas par hasard. Il nous veut dans le monde, Il nous a créé et, comme Il disait à Jérémie: «Avant même de te former dans le sein de ta mère, je te connaissais.» Nous sommes dans la pensée de Dieu, nous sommes dans le projet de Dieu, et qui que nous soyons, super intelligents ou handicapés, on a une mission à réaliser dans le monde.

Jean: Je pensais à cette parole-là quand Mario nous parlait de toute la difficulté qu'il a eu dans sa jeunesse, et Dieu l'a choisi pareil et en a fait ce qu'il est maintenant, c'est émouvant!

Guy: Il y a un plan dans l'appel de Dieu. Dieu se manifeste d'une façon particulière à chacun de nous par une personne, une parole, un événement. Il y en a qui vont dire qu'ils n'ont jamais reçu d'invitation, qu'ils n'ont jamais senti la manifestation de Dieu. C'est que Dieu se manifeste souvent dans notre vie, mais on n'est pas à l'écoute, on ne descend pas au plus profond de notre cœur pour se mettre à l'écoute de ce Dieu.

Jean: Le premier réflexe, tel que l'a eu Jérémie, on l'a tous. Quand Il nous demande quelque chose, c'est comme si on disait à Dieu: «Non, je ne suis pas capable, je ne peux pas, je suis trop démuni!», on dit ça souvent.

Guy: Quand Dieu se manifeste, Il nous appelle, Il nous confie une mission pour qu'on se réalise pleinement et qu'on soit quelqu'un dans la société. La peur nous prend, et quand la peur nous prend, c'est là qu'on commence à se regarder et on compte sur nos propres forces, et là, on désespère. La peur, ce n'est pas de Dieu, c'est l'Esprit d'audaces, l'Esprit de force et d'amour qu'on a reçus. Dieu, devant tous les prétextes qu'on peut avoir, nous dit une petite phrase: «Ne crains pas, je suis avec toi.» C'est pas à pas que Dieu va nous aider. Des élèves me disaient: «Moi, je vais avancer quand ça va être clair.» Ça ne sera jamais clair!

Jean: S'il faut attendre que tout soit clair pour marcher, on ne marchera jamais!

Guy: C'est l'expérience de tout individu: Dieu nous invite à marcher dans la foi. Il va nous éclairer assez pour qu'on fasse un pas, mais pas trop pour qu'on le fasse dans la foi. C'est Lui qui nous guide. Si tout était clair, on risquerait de ne plus être en relation avec Dieu. Il faut absolument qu'on demeure à l'écoute, on n'a jamais notre vocation, nous sommes toujours en état de vocation. Chaque jour, Dieu nous appelle, c'est sûr qu'on a une grande orientation sur la route. Chaque jour, on a une réponse à donner, et plus on est des hommes de prière, quand la prière est dans notre vie, quand on demande l'Esprit saint, notre cheminement se continue et notre vocation se réalise jour après jour.

Jean: Guy, cette parole, tu dois l'accueillir avec un certain humour quand le Seigneur après tant d'années d'enseignement te demande de prendre huit paroisses!

Guy: Il y a un an et demi, je ne croyais pas être où je suis aujourd'hui. J'étais dans une maison à cheminement spirituel. C'est en partageant avec un directeur spirituel que je suis arrivé à prendre ces décisions. J'ai été heureux dans toute ma vie. Je remercie Dieu pour toutes ces belles années avec la jeunesse, et même à l'intérieur du ministère que j'exerce actuellement, j'essaie d'être très attentif aux jeunes qui ont besoin d'un prêtre. Souvent, pour les jeunes, le prêtre est celui qui vit de loin, c'est quelqu'un qui vit dans un presbytère, et personnellement, j'espère ouvrir la porte du presbytère et inviter les gens à ma table.

Jean: Merci, de ce que tu apportes à tout le monde, merci du témoignage que tu donnes comme prêtre et merci que cette parole soit chère en toi.

Guy Giroux, prêtre
Abbé Jean Ravary

Émission du 28 juin 1998 Jean 8: 31-32 et 34-36

La vérité nous rendra libres

Jésus dit alors aux Juifs qui l'avaient cru: «Si vous demeurez dans ma parole, vous êtes vraiment mes disciples, et vous connaîtrez la vérité et la vérité vous libérera.» [...] Jésus leur répondit: «En vérité, en vérité, je vous le dis, quiconque commet le péché est esclave. Or l'esclave ne demeure pas à jamais dans la maison, le fils y demeure à jamais. Si donc le Fils vous libère, vous serez réellement libres.»

Jésus dans son ministère, a toujours regardé le cœur et espérait que la vérité soit victorieuse. Il savait que lorsque la vérité est présente, la lumière jaillit dans tout l'être de la personne qu'Il rencontrait...

Chers amis, cette parole me prend au cœur. Quand quelqu'un me demande: «C'est quoi la parole dans la bible qui vient te chercher toi, Jean?» Je leur réponds toujours: «L'évangile de saint Jean, chapitre 8, verset 32, "La vérité vous rendra libres".» Jésus nous a dit que cette vérité nous rendrait libres si on demeure en lui, si on demeure dans son enseignement, si on demeure collé à la réalité de ce qu'Il vient nous apporter.

La vérité devrait être le signe des chrétiens renouvelés par l'Esprit. Je rencontrais une amie récemment qui me disait: «Moi, cette année, à la Pentecôte, j'ai demandé la grâce de vérité. Parce que c'est avec cette caractéristique que je dois m'ouvrir au Seigneur.» Tantôt, Sylvain vous a montré le cadeau du mois. C'est très beau. C'est une petite croix avec un poisson dans le bas. En grec, un poisson, c'est dit *ictus*. Quand on faisait l'acrostiche de ce mot-là, on prenait chaque lettre et on faisait une phrase qui signifiait, «Jésus, fils de Dieu Sauveur». Le poisson était le signe secret pour les chrétiens qu'il y avait un rassemblement ou qu'il y avait des chrétiens à tel endroit. Ce signe-là devenait le signe des chrétiens. De la même manière, la vérité doit devenir le signe des chrétiens renouvelés.

La vérité se fait dans le cœur. «Dieu, dit la bible, regarde le cœur, l'humain voit les apparences.» On est très fort pour jouer sur les apparences. Dieu, quand Il agit, c'est avec le cœur. Chaque fois que Jésus dit quelque chose, Il nous dit: «D'abord, je guéris ton cœur et ensuite ton bras, tes jambes, et je fais un miracle.» Le miracle était le signe que le cœur était touché. Dieu s'adresse aux cœurs.

Quand on entend semaine après semaine les témoins qui viennent nous parler, on se rend compte que ces personnes ont fait une expérience dans leur cœur. C'est important que dans notre cœur il se passe quelque chose. Si on sait de belles paroles, si on sait que Jésus existe, si on sait qu'Il a passé dans l'histoire, ce n'est pas tout! Ça ne sert à rien. On peut en savoir bien des choses sur l'amour et on peut ne pas en vivre du tout. C'est le drame de notre société. On chante l'amour quand on veut et on en vit de moins en moins parfois. Il y a de la violence, il y a des meurtres et toutes sortes de choses. Quand Jésus dit que tout doit se passer dans le cœur parce que je veux être signe de l'amour dans mon cœur à moi. Jésus a été le cœur de Dieu sur deux pattes, permettez-moi l'expression. Jésus, c'était comme la visualisation de toute la lumière et la vérité qu'Il y avait dans le cœur de Dieu.

En écoutant Mme Thibault, qui nous parlait des valeurs, elle nous disait dans ses mots à elle: «Aller chercher la vérité de ce qu'il y a de beau et de grand dans chaque personne.» Que chaque personne se sente investie d'une mission, que chaque personne sente qu'il y a quelque chose à faire avec elle. On n'a pas le droit d'être des défaitistes au nom de notre foi et au nom de l'Esprit qui nous renouvelle. Jésus veut que la véritable liberté se passe dans le cœur. La vérité rend libre. Mme Thibault disait que quand vous avez quelque chose qui est lourd, allez en parler, soyez capable de verbaliser. Et on dit souvent: «Une vérité exprimée c'est déjà le problème à moitié résolu.»

Le Seigneur est venu nous dire dans la Bible, dans *l'Exode* au chapitre 3, c'est Dieu qui parlait à son peuple. Dieu savait que son peuple était pris dans des esclavages, dans des oppressions, et Il dit cette parole qui reste vraie, parce que c'est la parole de Dieu. «J'ai vu la misère de mon peuple qui est en Égypte, qui est écrasé, j'ai entendu son cri. Je suis descendu pour les délivrer de la main des Égyptiens, de la main de celui qui écrase. Je suis venu apporter de la vérité et de la liberté.» Voilà ce qui nous est proposé dans cette parole. Voilà ce qui nous est proposé à travers le témoignage d'une femme qui est importante dans le gouvernement, mais qui est capable aussi de nous dire toute la simplicité et toute la joie qu'elle a à faire ce métier, non pas pour être en vedette, mais pour que des valeurs circulent. Voilà une femme qui a levé la servitude et l'oppression des handicapés et qui dit à chacun: «Quelle que soit votre servitude, quel que soit votre esclavage, quel que soit votre problème: Ayez confiance.»

«Viens, suis-moi, nous dit Jésus, parce que comprenant ma parole, la vérité va te rendre libre.» Je veux la demander pour chacun de nos cœurs.

Seigneur, sois béni parce que Tu es ce Dieu qui transforme nos vies. Tu es ce Dieu qui nous dit: «Allez et n'ayez pas peur de la vérité. Je vous l'apporterai et vous deviendrez des témoins audacieux et engagés dans votre foi.» Seigneur, fais que Ton peuple comprenne un peu plus davantage et fais que Ton peuple devienne des signes de la vérité qui rendent libres.

Amen.

Abbé Jean Ravary

Émission
du 5 juillet 1998
Mathieu 28: 16-20

Dieu qui se rend présent

Quant aux onze disciples, ils se rendirent en Galilée, à la montagne où Jésus leur avait donné rendez-vous. Et quand ils le virent, ils se prosternèrent; d'aucuns cependant doutèrent. S'avançant, Jésus leur dit ces paroles: «Tout pouvoir m'a été donné au ciel et sur la terre. Allez donc, de toutes les nations faites des disciples, les baptisant au nom du Père et du Fils et du Saint esprit, et leur apprenant à observer tout ce que je vous ai prescrit. Et voici que je suis avec vous pour toujours jusqu'à la fin du monde.»

Jean: C'est une belle parole, c'est un peu la mission que Jésus nous donne. Dans quel sens cette parole vient-elle te chercher spécialement?

Martin: Je trouve que ce qui rejoint le cœur de notre foi, c'est vraiment la présence de Dieu. Alors, on voit dans le texte qu'Il confie une mission à ses apôtres. Il ne leur dit pas: «Je vous confie une mission puis travaillez pour le mieux.» Il dit: «Je serai avec vous, je vous accompagne, je suis là.» Pour nous, je trouve que notre religion, notre foi chrétienne se sont enracinées avec quelqu'un, pas avec une idéologie, mais avec quelqu'un. Alors, on a une présence quotidienne avec le Christ; on n'a pas un Dieu statique, c'est un Dieu qui se rend présent. On le voit dans l'Ancien Testament, Dieu qui veut se révéler. Il est quelqu'un, alors Il a besoin de contact avec une autre personne, avec les êtres humains, Il se révèle par les prophètes.

Jean: Est-ce que tu remarques, Martin, que souvent les personnes qu'on côtoie agissent comme si Dieu n'était pas quelqu'un justement? Ça arrive souvent de voir des personnes qui n'ont pas fait l'expérience de Dieu. Quelle réaction ça te fait?

Martin: C'est un peu triste, lorsqu'on vit une expérience spéciale avec Dieu, de voir que les autres ont de la difficulté à Le sentir, à Le voir agissant dans leur vie. C'est vrai que le langage de Dieu est différent du nôtre, on a de la difficulté parfois, les humains, a bien saisir le langage de Dieu, mais c'est l'Esprit saint qui réussit à nous faire saisir le langage de Dieu.

Jean: Et si quelqu'un te disait: «Mais l'Esprit est abstrait, qu'est-ce qu'il vient faire en moi?» Je me fais un peu la voix du peuple en te demandant cela.

Martin: L'Esprit saint, c'est celui qui nous aide davantage à reconnaître Dieu dans notre vie. C'est celui qui nous donne aussi la force d'agir. Le Christ nous demande d'être ses disciples, d'être des témoins. Il nous demande des choses bien concrètes, et l'Esprit saint est là pour nous donner cette force de les réaliser.

Jean: Et les exigences que l'Esprit apporte en nous, est-ce que c'est ce qui te donne un élan, toi personnellement, pour avancer dans ta mission?

Martin: Oui, je dirais que je ne vois pas ça non plus comme des exigences en disant: «Il faut que je fasse telle et telle chose pour être plus proche du Christ.» Je vois ça comme un amour, un peu comme une relation amoureuse dans un couple, on ne voit pas seulement les exigences, on voit davantage le chemin qu'on a fait avec l'autre. C'est vrai qu'il y a des exigences, mais c'est davantage l'amour donné et l'amour reçu aussi de la part de notre Dieu.

Jean: L'interaction, c'est important, et le fait que Jésus ressuscité soit celui qui dit: «Allez, comptez sur moi, je suis avec vous.» Ça c'est la grande parole d'espérance.

Martin: Je trouve ça encourageant de voir le moment important où Dieu est présent, et puis, nous parfois, on se tourne ailleurs. Alors, c'est un bon exemple, le jeune homme riche, quand Jésus l'interpelle et lui dit: «Vends tout ce que tu as», et le jeune homme riche s'en alla tout triste. Alors on voit que le Christ reste présent, et c'est le jeune homme qui est parti. Le Christ est toujours là qui nous attend, qui se rend attentif, qui est disponible, qui convoque, qui rassemble, interpelle, mais nous, parfois, on fait comme le jeune homme riche, on s'en va, on s'en va de nous-mêmes.

Jean: Et le fait de répondre à Jésus qui te dit: «Compte sur moi, je suis là.» Est-ce que c'est la cause de ta joie?

Martin: Je dirais, oui.

Jean: Je pense important de dire aux gens, par ce que c'est vrai pour un jeune prêtre, pour un plus vieux ou pour d'autre, c'est vrai pour n'importe quel baptisé, je pense que c'est important de saisir ça.

Martin: Tout à fait.

Jean: Alors, c'est un peu dans ce sens-là que je voudrais accueillir le message que tu nous donnes d'un Jésus vivant, d'un Jésus actif aujourd'hui. On va le porter dans la prière si tu veux. Je vais verbaliser une prière où je vais assayer de reprendre un peu ce que tu nous donnes. Je demande au Seigneur de vous faire comprendre par son Esprit combien Il est proche de nous.

Seigneur, merci de ce témoignage de Martin et merci aussi de cette joie qu'il véhicule à travers la Parole. Merci, Seigneur, de nous faire comprendre que Tu es là vivant, que Tu nous donnes le goût d'avancer, Tu nous donnes le goût et la certitude que Toi, Tu es là, que Tu n'es pas là pour nous lâcher. Seigneur, ce que Martin disait tantôt, moi je l'accueille avec tellement de joie. Quand quelqu'un se retire, ce n'est jamais Toi, c'est toujours nous qui tournons le dos. Apprends-nous, Seigneur, à mettre notre main dans la Tienne, à Te faire confiance et à Te dire: «Oui Seigneur, je crois, Tu es le Messie, Tu es le Christ qui vient pour nous apprendre la joie, le salut et la simplicité». Comme chrétien et comme croyant, Seigneur, apprends-nous par Ton Esprit que Tu es avec nous tous les jours jusqu'à la fin.

Amen.

Abbé Martin
Abbé Jean Ravary

Émission
du 12 juillet 1998
Apocalypse
21: 3-7, 22: 12

La vie éternelle

J'entendis alors une voix clamer, du trône: «Voici la demeure de Dieu avec les hommes. Il aura sa demeure avec eux; ils seront son peuple, et lui, Dieu-avec-eux, sera leur Dieu. Il essuiera toute larme de leurs yeux: de mort, il n'y en aura plus; de pleur, de cri et de peine, il n'y en aura plus, car l'ancien monde s'en est allé.» Alors, Celui qui siège sur le trône déclara: «Voici, je fais l'univers nouveau.» Puis il ajouta: «Écris: "Ces paroles sont certaines et vraies".» […] «C'en est fait, me dit-il encore, je suis l'Alpha et l'Oméga, le Principe et la Fin; celui qui a soif, moi, je lui donnerai de la source de vie, gratuitement. Telle sera la part du vainqueur; et je serai son Dieu, et lui sera mon fils. Voici que mon retour est proche, et j'apporte avec moi le salaire que je vais payer à chacun, en proportion de son travail.»

Dans ce texte, le Seigneur promet qu'Il reviendra régner sur la terre. Malheureusement, il nous arrive souvent d'oublier cette promesse de Jésus. Nous le disons même à chaque fois que nous récitons le *Credo:* «Il reviendra dans la gloire pour juger les vivants et les morts, et son règne n'aura pas de fin.»

Quel beau texte qu'on vient d'entendre, et je dois vous dire que c'est un texte qui me touche particulièrement, surtout quand j'ai vécu ma conversion. Ce texte m'avait beaucoup touché, surtout quand le Seigneur nous parle, évidemment de son retour, mais aussi de vie éternelle.

Pour ceux qui le savent, j'ai été beaucoup dans l'ésotérisme. Ce qui m'attirait dans les sectes et l'ésotérisme, c'est qu'on avait une réponse à la vie après la mort. Alors que malheureusement, dans notre église, on nous parle peu de la vie éternelle. On nous parle peu de la résurrection, et c'est ce qui fait qu'un sondage, dernièrement sorti dans les journaux, disait que 40% des catholiques croient à la réincarnation, et ne savent même pas qu'est-ce que la résurrection. C'est signe qu'on a un grave problème dans notre société, et surtout dans notre foi. Pourtant dans le credo, on dit toujours qu'on croit à la résurrection de la chair. Malheureusement, on manque d'explications, ce sont juste des mots qu'on entend, mais on ne sait pas le sens qu'on leur donne, et si beaucoup de gens croient à la réincarnation, c'est un peu véhiculer comme une nouvelle mode dans les médias.

C'est malheureux de croire que nous avons plusieurs vies, qu'on revient dans telle et telle personne. Alors que la résurrection, c'est tellement extraordinaire, parce qu'on est unique au yeux de Dieu. On a la chance de ressusciter avec notre corps, c'est signe que le Seigneur quand il crée quelqu'un, ce n'est pas pour le détruire, bien au contraire, mais pour lui redonner la vie au moment voulu. Et si vous croyez à la réincarnation et que vous êtes en plus chrétien, dites-vous que ça ne va pas ensemble du tout. Si la réincarnation est vraie, le Seigneur est mort sur la croix absolument pour rien, et j'espère que vous allez prendre la peine, les gens à la maison, de parler à vos prêtres et de leur dire: «Parlez-nous de la vie éternelle. Parlez-nous de la résurrection, pour qu'on comprenne enfin», et ça va être une chose très importante. Dans saint Paul aux Hébreux, saint Paul dit ceci: «Le sort des hommes est de mourir une seule fois et de comparaître pour le jugement une seule fois.» Alors, je pense que c'est assez clair qu'on n'a pas quarante-deux mille vies, mais qu'on en a une. Quand ensuite on est appelé après le jugement d'avoir la vie éternelle, c'est extraordinaire cette foi d'être chrétien. Le Seigneur vous le promet, et vous savez qu'on vous dit souvent à l'émission: «Le Seigneur, quand Il fait une promesse, Il la tient toujours, parce que Lui ce n'est pas un menteur.»

Quand on regarde dans notre monde maintenant, ce qu'on vit comme jeunes, je le vois comme vous à la maison, c'est qu'on est en train de vouloir faire un monde sans Dieu, et on le voit dans l'ésotérisme. On essaie de nous faire croire que nous sommes Dieu, c'est l'être humain qui est Dieu, on est un peu en train de refaire une tour de Babel. On met Dieu de coté complètement, et c'est fini, il y a beaucoup de gens qui ne prient plus, qui trouvent ça quétaine, qui trouvent ça insensé de se référer à Jésus Christ. Vous vous souvenez sûrement d'il y a quelques années, alors que les gens disaient un petit peu partout, on va se libérer de la foi, on va se libérer des religions, ça ira mieux, on va être plus libres. Êtes-vous sûr que ça va vraiment aller mieux? Regardons ensemble le taux de suicide épouvantable dans notre province de Québec, un des plus hauts au monde. Les meurtres dans les écoles. Aux États-Unis, on regarde les problèmes du chômage, de la pauvreté, des drames conjugaux, est-ce que ça va vraiment mieux depuis qu'on a mis le Seigneur de côté et qu'on l'a tassé complètement aux oubliettes. C'est une des promesses du Seigneur, si on pouvait Lui redonner la première place, celle qui Lui revient, le monde changerait. Si on pouvait prendre le temps, avant de prendre une grande décision, de se référer à Celui qui est le commencement et la fin. Afin de dire: «Seigneur j'ai une grande responsabilité, mais éclaire-moi, j'ai besoin de savoir ou je m'en vais». Quand on redonnera totalement le contrôle du monde au Seigneur Jésus, tout pourra changer.

Beaucoup de gens diront sûrement: «Mais comment faire pour être sûr d'arriver à cette vie éternelle que le Seigneur nous promet?» Moi, je vous dirais que j'ai une petite histoire à vous compter. C'est l'histoire d'un petit garçon de sept ou huit ans, il restait dans un petit village, et un soir, il décide d'aller prendre une marche, sans le dire à ses parents, dans le bois, tout près de chez lui. Alors il s'en va, il marche, il voit que la nuit commence à tomber et il panique un petit peu, parce qu'il est complètement perdu. Mais en réfléchissant, le petit gars, il se souvient que la maison de son père est juste à côté de l'église, et que le soir, la croix s'illumine. Alors, il décide, pour revenir chez lui, de fixer la croix, il dit: «Sûrement que je vais arriver chez nous si je fixe la croix.» Évidement trente à quarante minutes après, le jeune se ramassa chez son père parce qu'il avait suivi la croix, et la morale de cela: si on veut un jour avoir accès à cette vie éternelle, peu importe les épreuves qu'on aura, restons comme ce petit garçon, les yeux fixés sur la croix, et jamais on ne pourra se perdre, même si on a des épreuves. Si on reste les yeux fixés sur la croix et sur Jésus, nous sommes assurés d'une vie éternelle.

Je vous le redis, redites à vos prêtres et aux gens dans l'église de vous parler de vie éternelle, car c'est trop important. Les gens de plus en plus se tournent vers les sectes et le Nouvel âge, qui eux donnent une réponse. On a tous besoin de savoir d'où on vient et où on va, et j'espère qu'un jour on entendra parler dans notre église également du retour du Christ. Parce que le Seigneur l'a promis, cette vie éternelle. Ce qui est beau, c'est quand le Seigneur nous dit dans le texte: «J'essuierai toutes larmes de leurs yeux. La mort ne sera plus, il y aura plus ni deuil, ni cri, ni souffrance, car le monde ancien a disparu.» Quand le Seigneur ajoute: «Ces paroles sont certaines et véridiques», on peut avoir confiance dans la parole de Dieu, parce que le Seigneur accomplit toujours ses promesses. J'aimerais qu'on prenne un petit moment pour prier à la maison, on peut baisser la tête, fermer les yeux, et prions ensemble:

Seigneur Jésus, j'aimerais que Tu nous fasses prendre conscience aujourd'hui de ces cadeaux extraordinaires que tu nous prépares, la vie éternelle dans la joie et dans la paix. Seigneur, éclaire les gens qui sont à la maison sur cette vie éternelle. Libère les gens qui sont pris dans l'ésotérisme et qui sont portés à croire à la réincarnation. Révèle-Toi à eux, Seigneur, comme le Seul Seigneur, le Seul Sauveur. Il y a juste Toi qui peux nous promettre la vie éternelle, non pas tous les gourous de ce monde, mais Toi, le Seul et Unique Sauveur du monde.

Amen.

Sylvain Charron

Émission
du 19 juillet 1998
Luc 3: 21-21

Envahi de l'Esprit Saint

Or il advint, une fois que tout le peuple eut été baptisé et au moment où Jésus, baptisé lui aussi, se trouvait en prière, que le ciel s'ouvrit,et l'Esprit saint descendit sur lui sous une forme corporelle, comme une colombe. Et une voix partit du ciel: «Tu es mon fils; moi, aujourd'hui, je t'ai engendré.»

On peut croire qu'il va de soi que Jésus soit le Fils bien-aimé de son Père. Mais nous ne croyons pas aussi facilement que nous sommes aussi les fils et les filles bien-aimés du Père de Jésus. Son Baptême nous révèle l'essentiel du sens de notre Baptême. Écoutons l'Esprit nous le révéler.

Jean: Henri, je sais que ce texte-là est très important pour toi, parce que c'est le début d'une aventure nouvelle dans ta vie.

Henri: Oui, effectivement, tout en ayant toujours eu la foi, j'ai voulu devenir prêtre très jeune, à sept ans. Deux ans après être devenu prêtre, j'ai fait l'expérience d'être renouvelé dans l'amour de Dieu, qu'on appelle l'effusion de l'Esprit saint, alors que je célébrais le Sacrement du pardon avec une religieuse et l'Eucharistie avec d'autres religieuses. Au moment de la célébration, j'ai vraiment fait l'expérience d'être envahi de l'Esprit saint réchauffant mon cœur. Je n'ai rien entendu et rien vu, mais cela a été comme une révélation personnelle de l'amour de Dieu le Père pour moi. C'était d'autant plus bienfaisant et bienvenu que j'ai quelque peu souffert d'une relation tendue ou craintive avec mon père. De sorte que ça venait guérir quelque chose dans mon cœur dans ma relation paternelle. Cela a été pour moi marquant de goûter l'amour personnel de Dieu le Père, jusqu'à ce moment-là j'aimais prier Jésus et je récitais bien le «Notre Père», mais je n'en rajoutais pas pour m'adresser à Lui. Avec l'Esprit saint qui nous renouvelle comme fils de Dieu, je suis plus à l'aise comme dit saint Paul d'appeler Dieu, «mon Père».

Jean: Cette expérience de l'Esprit saint peut être faite par tout le monde qui s'ouvre finalement.

Henri: Il y a aussi nos dispositions de désirs, moi, l'expérience je ne l'ai pas nécessairement désirée. On m'en parlait, on me la proposait et le Seigneur a permis dans la gratuité de son amour que je la vive. Le Seigneur est libre de communiquer à nous comme Il le désire, mais Il nous promet, que si on l'aime et, comme signe de notre amour, si on observe sa Parole, ses commandements et ses préceptes, Il va venir chez nous établir sa demeure. Comme c'est écrit dans l'apocalypse, le Seigneur dit: «Je frappe à la porte, et celui qui ouvre, j'entrerai souper avec lui.» Moi avec lui, il y a une intimité.

Jean: Et cette intimité avec le Père que tu redécouvrais, ça t'a fait comprendre le texte qui s'est vécu au baptême de Jésus.

Henri: C'est quand même beau et touchant d'entendre le Père par l'Esprit saint, au moment du baptême de Jésus, lui dire qu'il est son fils bien-aimé et qu'en lui, Il a mis tout son amour et toute sa joie. L'expérience que nous venons d'évoquer m'a donné la certitude en toute situation que Dieu m'aime, dans la foi je peux le croire. De l'avoir vécu comme ça, ça m'a donné une foi inébranlable en l'amour de Dieu, non seulement pour moi mais pour toutes les personnes que je rencontre. Toute personne à qui je donne la parole de Dieu, toute personne qui peut nous écouter pendant cette émission. C'est vrai quand Jésus le Père nous redit: «Tu es ma fille, mon fils bien-aimé.» Nous somme tous les fils et les filles bien-aimés du Seigneur.

C'est précieux que le Père ait révélé cela au début de la vie publique de Jésus, quand on sait que cela a amené Jésus jusqu'à la croix. Des fois, des personnes un peu déséquilibrées ou éprouvées pourraient dire: «Dieu est un bourreau de son fils, moi si j'étais le père tout puissant j'aurais évité une telle calamité à mon fils.» Le fils, c'est au fond qu'Il a pris notre situation de pécheur; Dieu aurait pu nous sauver autrement, mais Il a voulu que ce soit comme ça, de sorte que c'est le sort de Jésus, c'est le sort du pécheur qui est condamné à mort, condamné à être séparé de Dieu éternellement.

Jean: Mais qu'est-ce que tu dis à des gens qui disent: «Mais moi non plus ça n'a pas fonctionné avec mon père et j'ai de la difficulté à m'imaginer que Dieu est père pour moi?»

Henri: J'ai la certitude que Dieu peut tout guérir du cœur. On sait que Jésus a guéri tous les malades, on peut se demander: «Mais pourquoi Il ne guérit pas tous les infirmes et les malades d'aujourd'hui?» Il a son plan d'amour là-dessus, mais il est certain que le Seigneur, quand on lui demande le pardon de nos péchés, Il nous guérit par son pardon, dans l'affectivité, les souvenirs, etc. Si on accueille l'Esprit saint là où on a eu des trous d'amour, des vides et des rejets, l'amour vient petit à petit réchauffer, libérer et guérir. Si nos parents, des fois c'est les mamans qui n'ont pas bien aimé leurs enfants, et il y en a aussi qu'ils n'ont pas connu leurs parents par décès. Un ami a partagé avec moi et me disait: «C'est comme si Dieu voulait qu'on ne soit pas satisfait dans notre amour avec notre père ou notre mère parce que c'est Lui seul qui peut nous combler parfaitement, c'est Lui qui est Dieu.» Moi, je suis encore touché quand je vois un père qui tient la main de son enfant, qui lui parle et qui joue avec lui, moi ça me touche beaucoup parce que je n'ai pas connu ça. Je me rappelle une fois à Lourdes, il y avait un papa avec son fils sur le dos, ça me touchait aux larmes, et non pas par jalousie.

Jean: Ce baptême de Jésus qui l'a mis en marche pour son ministère, j'ai l'impression que l'expérience que tu as vécue de cette saisie de l'amour de Dieu t'a mis en marche aussi?

Henri: Oui, parce que tu es un peu témoin du début de la fondation du centre charismatique

Le Jourdain. L'événement providentiel qui a été premier, il y a eu des prophéties et tout ça, je n'ai pas expliqué tout là, mais ç'a été de faire un pèlerinage en Terre sainte, et c'est une photo du bord du Jourdain qui nous a inspiré ce nom, le centre de prières *Le Jourdain*, l'image qui identifia en Parole de Dieu, c'est le Baptême de Jésus au Jourdain pour aider chacun à être renouvelé comme fils et fille de Dieu dans la grâce de son Baptême ou d'être baptisé si jamais il y en a qui nous écoutent qui n'ont pas encore eu la grâce. C'est vraiment comblant de revivre la grâce de son Baptême que la majorité de nous avons vécu comme enfant. Enseigner la Parole de Dieu, c'est toujours Dieu qui se révèle et qui fait grandir son amour de Père pour son fils, pour sa fille. Nous comme fils et filles, on est invité à, comme disait Simone tout à l'heure, «ne pas être des sans-cœur qui répondent dans l'amour du Seigneur qu'on est impuissant, qu'on est pécheur, qu'on est blessé, etc.» L'Esprit saint, c'est comme s'il venait payer nos dettes, Il vient suppléer à nos déficits d'amour pour que notre amour en Jésus soit agréable au Père. Comme des parents se contentent de peu dans la réponse de leurs enfants, un petit sourire, un petit geste. Le Bon Dieu, quand on lui dit: «Papa Bon Dieu» ou «Jésus Seigneur» et quand on lui fait confiance dans une épreuve comme Job dont les amis l'invitaient presque à se révolter contre Dieu, il dit: «Non». Si on accepte le bonheur de Dieu, pourquoi ne pas accepter aussi le malheur en l'aimant?

Jean: Henri, on te remercie et on te dit un Amen à ce que tu viens de dire et je suis sûr que ça va faire beaucoup de bien dans le cœur des gens.

Henri: Alléluia, union de prières.

Henri Paradis, prêtre
Abbé Jean Ravary

Émission
du 26 juillet 1998
Jean 8: 12, 15-16

Jésus, Lumière du monde

De nouveau Jésus leur adressa la parole et dit: «Je suis la lumière du monde. Qui me suit ne marchera pas dans les ténèbres, mais aura la lumière de la vie.» [...] «Vous, vous jugez selon la chair; moi, je ne juge personne; et s'il m'arrive de juger, moi, mon jugement est selon la vérité, parce que je suis pas seul; mais il y a moi et celui qui m'a envoyé.»

Dans son ministère, Jésus a toujours employé des comparaisons faciles à saisir pour les gens simples. En se proclamant Lumière, Il permet aux humains de donner un sens à leur recherche et à leur quotidien.

Quelle belle parole qui nous parle de la lumière, Jésus lumière du monde. Après le message que Manon vient de nous donner, ça va de soi qu'on ait un texte aussi beau que celui-là. La foi, c'est d'abord une question d'écoute de la Parole. Je fais confiance à la parole de quelqu'un qui me dit: «Je suis là non pas pour te tromper, mais pour que tu entres dans ma vérité.» La foi est également une question de témoignage. Jésus qui vient nous dire: «Pour que tu accueilles ma parole, je te donne mon esprit, la Pentecôte. L'Esprit qui va te faire témoigner et va te faire rendre compte de l'espérance qui est en toi; pour rendre compte de l'espérance, il faut devenir lumière.» Jésus nous dit: «Je suis la lumière du monde.»

La plus belle expérience de lumière que j'ai vécu dans ma vie, c'était à Rome. Un jour, j'étais dans une retraite de prêtres, nous étions six mille prêtres. Jean Paul II, que je considère comme un prophète de lumière dans notre monde, et mère Théresa à côté, qui était une femme pleine de lumière qui a donné exemple d'engagement à cause de la lumière. Ces deux témoins de lumière se sont rencontrés, et j'ai vu Jean Paul II donner la communion à mère Théresa. Il donnait Jésus lumière du monde, lui prophète lumière à un autre prophète de lumière. J'ai regardé cette scène-là et je me suis dit: «Il ne peut pas avoir plus de lumière que cela!» C'est une scène que je n'oublierai jamais de ma vie!

Ce qu'on vient de recevoir dans l'enseignement de Manon qui vient nous dire: «C'est important qu'on soit vivant pour le Seigneur, c'est important qu'il y ait de la joie dans notre cœur, c'est important qu'il y ait de la lumière dans nos yeux. C'est ça être capable d'être signe de lumière là où nous sommes tous et chacun.» Quand j'entendais Manon qui disait: «Le but que j'ai, c'est d'essayer de trouver ce qu'il y a de beau et de bon dans chaque personne.» Thérese d'Avila disait: «Un des grands moyens de sainteté c'est d'être capable de trouver au moins une fois par jour une qualité à quelqu'un et de lui dire.»

Ce n'est pas toujours ça qu'on fait, on remarque bien plus les défauts et les erreurs de la personne. Être capable de lui dire. Quand j'entendais Manon nous parler de cette aspiration qu'elle avait d'avoir la joie éclatée à cause du Ressuscité!

Je me disais dans mon cœur de prêtre: «Seigneur, je ne veux pas accuser le clergé, on fait notre possible. Je ne veux pas accuser les diocèses, on fait notre possible. Je ne veux pas accuser nos évêques, loin de là, on fait tous notre possible. Mais j'ai comme le goût aujourd'hui de demander pardon aux jeunes, de vous demander pardon au nom de l'Église comme prêtre, au nom de tous mes confrères, au nom de tous ceux qui ont été là, de ne pas vous avoir donné peut-être suffisamment le goût de Jésus. Jésus Vainqueur, Jésus plein de lumière et Jésus Ressuscité.»

Je me souviens d'un jour à la paroisse où j'étais responsable, où j'étais curé. Il y a une dame qui est entrée un dimanche pour venir à la messe. En la saluant, elle se met à rire. Je lui dis: «Qu'est-ce que vous avez à rire? Vous avez un beau sourire.» Elle dit: «Vous, j'aime ça, c'est *le fun*, on dirait que vous jouez avec le bon Dieu. — Bien, j'ai dit, entrez, on va commencer à jouer, mais je ne sais pas à quels jeux on va jouer.» Je trouvais ça beau parce que la mouvance de l'esprit, c'est un petit peu ça. Être capable de comprendre que notre Dieu ne vient pas juger. Il dit: «Vous, les humains, vous jugez, mais moi, je ne juge personne. Je suis là pour tendre la main.» Et quels que soient notre passé, nos erreurs, Dieu tend la main et dit: «Je ne te juge pas, je m'en viens te présenter la possibilité si tu le veux d'être lumière à la suite de ce que je suis comme lumière dans ta vie.»

C'est impressionnant de voir que Jésus lumière compte sur nous pour qu'on devienne témoin de lumière. C'est ça qui va donner de la crédibilité à l'Église, qui va la rendre contagieuse, qui va faire que nos assemblées eucharistiques ne seront pas monotones, mais que ça va être dynamique et qu'on va avoir le goût de célébrer comme disait Manon: «En chantant, en dansant, en applaudissant notre Dieu qui est là parce qu'il est source de lumière et source de tendresse.»

J'aurais le goût, avec vous, qu'on puisse prier ensemble pour demander la cohérence et la contagion de la lumière dans nos vies:

Béni sois-Tu, Seigneur, d'être Celui qui est Lumière du monde. Merci, Seigneur, de la puissance de Ton amour. Merci de nous dire que Tu comptes sur nous comme témoins de lumière. Tu nous rends responsables de la Résurrection et Tu dis à chacun, du plus petit au plus vieux: «J'ai besoin de toi.» Fais, Seigneur, que nous soyons capables d'accueillir Ta lumière, de la faire passer dans notre vie et devenir signe de dynamisme et de lumière. Jésus, fais que Ton Église devienne témoignage dans un monde qui a faim et soif, dans un monde qui veut mourir, témoignage de vie en abondance, témoignage de résurrection et témoignage de joie.

Amen.

Abbé Jean Ravary

Émission
du 2 août 1998
Jean 1: 9-14

La vie, la lumière, le Fils unique

Le Verbe était la lumière véritable, qui éclaire tout homme; il venait dans le monde. Il était dans le monde, et le monde fut par lui, et le monde ne l'a pas reconnu. Il est venu chez lui, et les siens ne l'ont pas accueilli. Mais à tous ceux qui l'ont accueilli, il a donné pouvoir de devenir enfants de Dieu, à ceux qui croient en son nom, lui qui ne fut engendré ni du sang, ni d'un vouloir de chair, ni d'un vouloir d'homme, mais de Dieu. Et le Verbe s'est fait chair et il a habité parmi nous, et nous avons contemplé sa gloire, gloire qu'il tient de son Père comme Fils unique, plein de grâce et de vérité.

L'Église doit, plus que jamais, renouveler sa mission d'annoncer le Dieu vivant qui est l'Amour véritable en personne. Car c'est bien au niveau de l'amour que la confusion est la plus grande en notre temps. Le prologue de l'Évangile de saint Jean ne déploie-t-il pas toute la substance théologique du cri de guerre lancé par l'archange saint Michel: «Qui est comme Dieu?»

Jean: Robert, c'est dommage qu'on lise cette phrase-là rapidement et qu'on n'y pense pas suffisamment. J'ai l'impression que ça vient te chercher beaucoup?

Robert: Oui, j'ai choisi ce texte en pensant que c'était le texte présenté par le pape lorsqu'il est venu au stade olympique. Ça m'avait bien saisi que les jeunes aient choisi ce texte-là, je le trouvais très sévère, profond, et difficile. C'est pourquoi que j'ai profité de cette occasion d'*Évangélisation 2000* pour y retourner moi-même, parce qu'on n'y retourne pas assez souvent. Les thèmes de vérité, de lumière, de vie, ça m'apparaît important. Ce cri de saint Michel, «Qui est comme Dieu?», voulait dire à toutes ces sectes qui pullulent un peu partout: «Parlez-nous donc de votre Dieu?» Nous aussi, il faut parler du nôtre, je crois, et la mission du prêtre est essentiellement de parler de ce Seigneur. Après deux mille ans, parler encore de Jésus-Christ, c'est toujours un peu surprenant. Est-ce qu'il y a encore quelque chose à dire, et c'est neuf à chaque fois.

Jean: Te souviens-tu, Robert, justement quand le pape est venu au stade? J'étais-là moi aussi avec un groupe de jeunes. Je n'en revenais pas. Il disait des phrases qu'on entend depuis toujours comme, «Dieu est amour», et les jeunes étaient en explosion de joie, et je me disais: «C'est peut-être la qualité du témoin qui rend la parole crédible.»

Robert: Certainement, et aussi je dirais les vérités les plus simples, quand elles sont dites au grand jour, les jeunes reconnaissent que c'est ça qu'ils veulent entendre. On est peut-être gêné de redire ces vérités parce qu'elles semblent trop simples. Le pape défend la vie parce que la vie, c'est la lumière. C'est ça qui chasse les ténèbres de nos esprits. Tranquillement, quand on suit la vérité de notre conscience, on arrive tôt ou tard au Seigneur. Et là, il faut dire «Oui» ou attendre un peu, mais on finit toujours par être rappelé de nouveau.

Jean: Tu travailles beaucoup avec les jeunes. Le cheminement qui se fait dans le cœur des jeunes actuellement, quel est-il? Ils se posent des questions. Ils ont comme une peur de répondre spontanément au Seigneur. Qu'est-ce qui déclenche ça? Qu'est-ce qui vient faire déclencher un «Oui» à Dieu?

Robert: Je crois que les jeunes ont confiance en l'Église, contrairement à ce qu'on pense. Ils ont toutes sortes de témoignages, ils entendent des témoins impliqués. Je crois que ce qui peut déclencher un «Oui» ou un appui à leur cheminement, c'est des prêtres. Tous les témoins qui croient au Seigneur, qui font de leur vie une offrande, qui sont illuminés, qui sont cette lumière de vie. Ils veulent transporter et annoncer à leurs frères cette dimension de service, ils doivent toucher le cœur des jeunes et leur donner le goût de s'engager.

Jean: Et la parole que tu as voulu commenter: «… et le verbe, s'est fait chair.» C'est toute l'implication du Christ dans l'incarnation. Il vient nous chercher dans notre nature telle qu'elle est, dans notre sol à nous finalement, c'est important.

Robert: «Il a habité parmi nous.» J'aime beaucoup un commentaire qui dit: «Habiter dans quelqu'un, c'est ça l'amour.» Quand deux personnes s'aiment, c'est qu'elles habitent dans le cœur l'un de l'autre. Jésus est venu habiter au milieu de nous. Il veut habiter chez toi. Est-ce que tu l'accueilles? Si tu l'accueillles, Il va habiter chez toi. C'est impressionnant, cet amour de cohabitation avec le Seigneur.

Jean: J'aimerais qu'on l'offre au Seigneur, cet amour que tu viens de nous décrire. Puis, en même temps, qu'on demande à Dieu que les cœurs s'ouvrent pour accueillir cet amour qui veut habiter chez nous:

Seigneur, merci de ce que Robert vient de nous traduire. Tu nous aimes au point de vouloir habiter en nous. C'est tellement grand et, en même temps, tellement imprévu dans notre plan à nous. C'est Ton plan d'amour qui a voulu que Tu viennes habiter chez nous. Merci d'être ce Dieu de liberté, ce Dieu qui nous invite à Te dire «Oui», un «Oui» d'amour, et garde-nous disponibles dans l'amour comme on veut l'être le plus possible pour signifier au monde que Tu as quelque chose à dire à nos vies.

Amen.

Robert Gendreau, prêtre
Abbé Jean Ravary

Émission
du 9 août 1998
Marc 16: 15-20

Laissons Dieu être Dieu

Et il leur dit: «Allez dans le monde entier, proclamez l'Évangile à toute la création. Celui qui croira et sera baptisé, sera sauvé; celui qui ne croira pas, sera condamné. Et voici les signes qui accompagneront ceux qui auront cru: en mon nom ils chasseront les démons, ils parleront en langues nouvelles, ils saisiront des serpents et s'ils boivent quelque poison mortel, il ne leur fera pas de mal; ils imposeront les mains aux infirmes et ceux-ci seront guéris.» Or le Seigneur Jésus, après leur avoir parlé, fut enlevé au ciel et il s'assit à la droite de Dieu. Pour eux, ils s'en allèrent prêcher en tout lieu, le Seigneur agissant avec eux et confirmant la Parole par les signes qui l'accompagnaient.

Dans ce texte, le Seigneur vient nous prouver qu'Il est le Maître de l'impossible. Malheureusement beaucoup ne veulent pas entendre parler de ce texte.

Pourtant, Jésus nous redit: «Si vous me faites confiance totalement, Je peux tout pour vous.» Dans notre société moderne, où tout doit être prouvable par la science, nous avons peur du mot «miracle», et pourtant le Seigneur est le même hier, aujourd'hui et à jamais. Nous devons réapprendre à laisser agir l'Esprit saint comme Il veut... Laissons Dieu être Dieu.

Si vous saviez combien j'aime ce texte, ça fait des années que je le relis et j'aime beaucoup le titre qu'on a donné à ce texte: *Laissons Dieu être Dieu.* Vous savez, on vit dans une société où c'est l'Internet qui fonctionne, c'est les ordinateurs, la technologie, et tout ce qu'on ne peut pas prouver, on dit que ce n'est pas vrai. C'est pour ça que c'est tellement difficile de croire à la Parole de Dieu, parce qu'on a de la difficulté à prouver certaines choses. Si on laissait aujourd'hui dans notre cœur le Seigneur être le Seigneur, Dieu être Dieu comme Il le veut. On essaie trop souvent de faire Dieu à notre image, parce qu'on a une façon de penser et une façon de faire les choses, mais si on disait à Dieu aujourd'hui: Je vais te laisser être Dieu.

Le Seigneur peut faire n'importe quoi, on a juste à regarder l'immensité de la création, l'immensité de l'univers, c'est le Seigneur qui a créé tout ça, c'est Dieu! Certaines personnes, des sceptiques nous diront: «Mais le texte de Marc, chapitre 16, où le Seigneur dit qu'Il peut guérir les gens, on n'y croit pas trop!» Pourquoi on n'y croit pas? Parce qu'on ne peut pas l'expliquer peut-être? Moi, ce qui me peine beaucoup comme jeune c'est qu'on entend de certains théologiens malheureusement nous dire que l'histoire de Moïse, ce n'était peut-être pas vrai, que l'histoire d'Abraham, on n'est pas sûr, que l'arche de Noé, on n'en est pas sûr, on est rendu en train de diluer la Parole de Dieu, et ces gens-là n'ont pas plus de preuves que vous et moi. Ça me fait beaucoup de peine comme jeune, comment voulons-nous transmettre la Parole de Dieu, transmettre la foi quand des gens essaient de diluer cette Parole, cette Parole qui vient de Dieu Lui-même!

J'ai lu dernièrement dans une revue, un théologien qui disait que Moise était probablement seulement un symbole, que le Seigneur n'avait peut-être jamais vraiment ouvert la mer. Qui est-il pour dire une chose pareille? Quand j'entends des gens, et malheureusement même certaines personnes de l'Église, nous dire qu'il faut en prendre et en laisser des miracles de Jésus, je me dis: «Qui êtes vous pour dire des choses comme ça?» Moi, je crois à ce qui est écrit dans la Parole de Dieu, et quand on criera haut et fort que le Seigneur est Seigneur et qu'on arrêtera de douter de la Parole de Dieu, les choses changeront probablement.

Je sais que beaucoup de gens, peut-être les plus sceptiques, aimeraient enlever cette page de l'Évangile où le Seigneur dit: «Voici les signes qui accompagneront ceux qui auront cru, en mon nom ils imposeront les mains aux malades et ceux-ci seront guéris.» Est-ce qu'on y croit ou bien est-ce que ce sont seulement des mots? Et lorsqu'on nous dit que le Seigneur a peut-être voulu dire autre chose, on juge la Parole de Dieu. C'est écrit noir sur blanc dans le texte! On connaît tous des gens qui ont eu des événements dans leur vie qui sont inexplicables. Les médecins vont nous dire: «Ce n'est pas un miracle, c'est quelque chose d'inexplicable par la science.»

On a donc peur que Dieu puisse intervenir directement dans notre vie! Soit pour changer quelqu'un du côté physique, soit pour le changer intérieurement, psychologiquement et émotivement. Mais si aujourd'hui, on décidait de dire au Seigneur: «Prends Ta place, parce que moi, je Te fais confiance.»

C'est en proclamant la Parole de Dieu telle qu'elle est que les jeunes reviendront à l'Évangile, parce qu'on a peut-être trop depuis les dernières années essayé de la diluer, de la faire beaucoup trop socialisante et oublier ce qu'il y a de plus beau et de plus vrai dans l'Évangile. Il ne faut surtout pas oublier que c'est la Parole de Dieu, malheureusement souvent on l'oublie. On essaie de dire qu'il faut se rappeler du contexte dans lequel Jésus a dit ça, ce n'est pas toujours actuel maintenant.

Moi, quand je lis l'Évangile, on dirait que c'est une lettre qui a été écrite aujourd'hui, quand on prend la peine de l'intérioriser, quand on prend la peine de demander au Seigneur de nous éclairer et quand on prend la peine de demander à l'Esprit de nous faire comprendre les écritures. Je ne voudrais pas que les théologiens pensent que j'en ai contre eux, bien au contraire, il en faut! Mais je demanderais à ces gens-là de ne pas diluer la Parole de Dieu. On en a tellement besoin. Être capable de dire au Seigneur: «Si Toi, tu as décidé un jour de guérir quelqu'un, de faire un miracle, d'éviter un accident à quelqu'un ou quoi que ce soit, on n'a pas à décider ce que l'Esprit saint a décidé de faire, Lui.» Malheureusement nous, les humains, on voudrait mettre peut-être l'Esprit saint en canne et lui faire faire des choses comme on les veut bien. Le Seigneur ne fonctionne pas comme ça et c'est heureux que ça ne fonctionne pas comme ça. J'espère qu'en ce dimanche, on pourra peut-être réfléchir à la maison, à l'hôpital ou dans les foyers de personnes âgées: si on laisse vraiment dans notre vie Dieu être Dieu.

Il ne faut pas penser que Dieu agit exactement comme nous, bien au contraire, et heureusement qu'Il n'agit pas comme nous. Parce que Lui, s'Il décide de changer le cœur de quelqu'un, de guérir quelqu'un physiquement, c'est Son choix. Ce n'est pas à nous de dire que ce n'est pas vrai. Personnellement, et vous en connaissez peut-être vous aussi, je connais des gens que leur vie a été changée. Une dame, qui s'appelle Francine, qui devait mourir d'un cancer, et un jour, quand le médecin lui a annoncé ça, elle n'avait plus rien à perdre, elle a prié. Elle a demandé à un ami de prier avec elle parce qu'elle avait ce texte dans les mains. Elle y a tellement cru, elle a dit au Seigneur: «Maintenant Tu l'as promis, mais je Te dis une dernière chose, que Ta volonté soit faite.» Croyez-le ou non, ça fait maintenant cinq ans, Francine n'a plus de cancer et elle a tout donné au Seigneur, c'est extraordinaire! J'aimerais en terminant, quand on prie, quand on demande des choses spéciales au Seigneur, de lui faire confiance. Ne pas les répéter sans arrêt, le Seigneur sait d'avance ce qu'on a besoin. D'être capable de dire: «Seigneur, je Te fais confiance totalement parce que dans l'Évangile il est écrit: "Demandez et vous recevrez et tout ce que vous me demanderez, croyez que vous l'avez reçu et cela vous sera donné".» C'est peut-être ce petit bout qu'on oublie parfois: «Croyez que vous l'avez reçu.» Le Seigneur l'a dit souvent: «C'est ta foi qui t'a sauvé.»

Seigneur Jésus, appends-nous à Te laisser être Dieu dans notre vie. On a tellement besoin de Toi, et pardonne-nous parfois de manquer de confiance en Ta Parole. Pardonne-nous de parfois la diluer, cette belle Parole, cette belle lettre d'amour. Seigneur, je Te demande de nous aider chacun et chacune à Te reconnaître comme Seigneur, comme Roi de l'univers et comme Sauveur du monde.

Amen.

Sylvain Charron

Émission
du 16 août 1998
Actes 9: 1-20

Conversion de saint Paul

Cependant Saul, ne respirant toujours que menaces et carnage à l'égard des disciples du Seigneur, alla trouver le grand prêtre et lui demanda des lettres pour les synagogues de Damas, afin que, s'il y trouvait quelques adeptes de la Voie, hommes ou femmes, il les amenât enchaînés à Jérusalem.

Il faisait route et approchait de Damas, quand soudain une lumière venue du ciel l'enveloppa de sa clarté. Tombant à terre, il entendit une voix qui lui disait: «Saoul, Saoul, pourquoi me persécutes-tu? — Qui es-tu, Seigneur?» demanda-t-il. Et lui: «Je suis Jésus que tu persécutes. Mais relève-toi, entre dans la ville, et l'on te dira ce que tu dois faire.» Ses compagnons de route s'étaient arrêtés, muets de stupeur: ils entendaient bien la voix, mais sans voir personne. Saul se releva de terre, mais, quoiqu'il eût les yeux ouverts, il ne voyait rien. On le conduisit par la main pour le faire entrer à Damas. Trois jours durant, il resta sans voir, ne mangeant et ne buvant rien.

Il y avait à Damas un disciple du nom d'Ananie. Le Seigneur l'appela dans une vision: «Ananie! — Me voici, Seigneur!», répondit-il. «Pars, reprit le Seigneur, va dans la rue Droite et demande, dans la maison de Judas, un nommé Saul de Tarse. Car le voilà qui prie et qui a vu un homme du nom d'Ananie entrer et lui imposer les mains pour lui rendre la vue.» Ananie répondit: «Seigneur, j'ai entendu beaucoup de monde parler de cet homme et dire tout le mal qu'il a fait à tes saints à Jérusalem. Et il est ici avec pleins pouvoirs des grands prêtres pour enchaîner tous ceux qui invoquent ton nom.» Mais le Seigneur lui dit: «Va, car cet homme m'est un instrument de choix pour porter mon nom devant les nations païennes, les rois et les Israélites. Moi-même, en effet, je lui montrerai tout ce qu'il lui faudra souffrir pour mon nom.»

Alors Ananie partit, entra dans la maison, imposa les mains à Saul et lui dit: «Saoul, mon frère, celui qui m'envoie, c'est le Seigneur, ce Jésus qui t'est apparu sur le chemin par où tu venais; et c'est afin que tu recouvres la vue et sois rempli de l'Esprit saint.» Aussitôt il lui tomba des yeux comme des écailles, et il recouvra la vue. Sur-le-champ il fut baptisé; puis il prit de la nourriture, et les forces lui revinrent.

Il passa quelques jours avec les disciples à Damas, et aussitôt il se mit à prêcher Jésus dans les synagogues, proclamant qu'il est le Fils de Dieu.

Jean: L'expérience spirituelle de saint Paul, je pense que ça nous rejoint tous et ça te rejoint particulièrement Yvon. J'aimerais ça que tu nous en parles.

Yvon: Je trouve que c'est une expérience que le Seigneur nous a donnée à travers saint Paul, un homme de foi extraordinaire. On disait que le Seigneur, à travers son expérience à lui, a comme cristallisé l'expérience de l'humanité. Je pense qu'a chacun de nous le Seigneur donne un chemin de Damas. Un chemin où l'on va enfin recevoir sa lumière un peu plus fortement que tous les jours.

On a tous une occasion dans notre vie où le Seigneur vient nous rejoindre au plus profond de ce qu'on est précisément, sur le chemin où on ne l'attend pas du tout. Saint Paul n'attendait pas le Seigneur, pour lui Jésus est mort. Saint Paul n'a jamais eu l'idée de persécuter Jésus, Jésus est mort et enterré, on n'en parle plus. C'est au moment où il s'en attend le moins que cette lumière vient le toucher. Ce qui est extraordinaire, c'est qu'il va poser la question: «Qui es-tu?» parce qu'il ne voit plus rien, et la lumière va simplement lui répondre: «Je suis Jésus.» C'est là qu'il va découvrir dans le fond que les chrétiens, c'est le corps du Christ. Saint Paul va comprendre plus tard que lui aussi est devenu Corps du Christ en disant: «Ce n'est plus moi qui vit, c'est le Christ qui vit en moi.»

Jean: Les trois jours où il a dû entrer en retraite fermée parce qu'il avait des écailles devant les yeux, c'est une expérience d'intériorité, ça aussi?

Yvon: D'intériorité, mais je pense que juste avant ces trois jours-là, il y a eu cette fameuse chute. Saint Paul était à cheval, un combattant extraordinaire, très fort, très puissant et un peu au-dessus des autres. Saint Paul, qui est à cheval, doit céder à un moment donné. Il faut que le Seigneur vienne le désarmer pour toucher son cœur. C'est là que saint Paul va tomber en bas de son cheval, tomber en bas de sa sécurité et là, il est tout seul. Les compagnons vont le faire entrer en le tenant par la main à Damas.

Dans notre vie, il arrive des moments où le Seigneur vient nous désarmer complètement, nous enlever nos sécurités, ça peut être la perte d'un emploi, la perte d'un amour, la perte de quelqu'un dans notre vie, une faillite personnelle où on est complètement désarmé. On n'a plus de sécurité, on ne peut plus compter sur une chose ou sur une autre, on est seul et c'est là que le Seigneur peut nous rejoindre. Il arrive des moments dans notre vie où on n'est pas trop sûr de soi, on n'a plus besoin de personne, on n'a plus besoin de sa femme, ses enfants, ses amis, on est au-dessus et on dirait qu'on est déconnecté de nous-mêmes. Et c'est là que le Seigneur vient précisément, dans notre vie, sur notre chemin et nous dit: «Un instant, est-ce que tu ne m'aurais pas oublié?» Saint Paul, quand il a demandé: «Qui es-tu?», il s'attendait à avoir comme réponse le nom de quelqu'un. Jésus a dit: «C'est moi, c'est moi que tu persécute à travers tous ceux qui t'entourent.»

Jean: J'imagine que cela a du être une prise de conscience effrayante pour lui de réaliser que c'est l'autre, Jésus c'est les autres finalement.

Yvon: Exactement, je pense que saint Paul ne l'a pas compris, il n'a pas dû comprendre d'un coup. C'est une révélation tellement grande. Après qu'il ait rencontré Anani et qu'Anani lui ait imposé les mains, des écailles sont tombées de ses yeux. Les écailles, on en a tellement! On se fait tellement de fausses images de soi, et il y a des écailles que nous mettons nous-mêmes. Je pense que dans le texte, ce n'est pas marqué, mais on se met des écailles. Il y a des choses qu'on ne veut pas voir dans la vie et on se cache la vérité.

Jean: Il y a des fausses images de soi, on s'imagine que c'est les fausses images des autres, mais souvent on ne s'accepte pas et on se s'accueille pas.

Yvon: On est la pire personne, on se ment à soi-même beaucoup plus qu'on ne peut mentir aux autres. Le Seigneur, quand il nous a déboussolé, on n'a plus rien a perdre. J'ai travaillé en prison avec des personnes de tous âges et les gens me demandent si c'est dur de travailler en prison. Pas du tout: en prison, les gens n'ont plus d'écailles, les écailles sont tombées, et on apprend à être vrai. Je travaille avec les toxicomanes, les alcooliques, c'est la même chose, il y a un événement de la vie qui fait que tu deviens vrai.

Jean: Les gens qui ont beaucoup souffert, Jésus dit qu'ils seront peut-être avant nous-autres au royaume, ils sont tellement vrais et tellement entiers!

Yvon: Absolument, il faut arriver à cette étape où je suis vrai et où j'enlève ces écailles. Je ne suis pas obligé d'attendre qu'il m'arrive une épreuve. Je peux décider d'enlever les écailles avant qu'il m'arrive une épreuve pour faire la vérité avec moi.

Jean: C'est quoi les écailles les plus courantes qu'on a dans nos vies?

Yvon: Je pense que c'est les illusions qu'on se fait sur soi-même en se disant peut-être qu'on n'est pas si pire que ça, je souffre pas tant que ça, ma vie est quand même assez bien, on se donne des fausses illusions sur notre vie. On cherche tous le bonheur, quand on a trouvé une espèce de pis-aller, on se dit que ça va être correct, et c'est là qu'on se fait des écailles en ne voulant pas admettre que notre rêve était bien plus grand que ça. Moi, quand je pense au rêve qu'on a quand on est tout jeune, on rêve d'avoir une vie pleine, d'avoir un cœur brûlant d'un feu intérieur, et à un moment donné, on finit par être amoindri et on n'a plus ce zèle intérieur ou on ne veut plus y croire, et les écailles sont là.

Le Seigneur vient nous dire: «Tu es fait pour plus que ça! Ton cœur est plus grand que ça!» Il est obligé de nous faire tomber en bas de nos sécurités, comme saint Paul en bas de son cheval. C'est là souvent qu'un plus petit que soi nous prend par la main, ça peut être un enfant, ça peut être quelqu'un qui est proche de nous et qui va nous prendre par la main parce qu'on est devenu aveugle et qui va nous conduire vers la lumière.

Jean: Il y a des gens qui vivent ça comme saint Paul d'une façon fracassante et d'autres beaucoup plus en douceur, mais ça ne les empêche pas de tomber en bas de leur cheval eux aussi.

Yvon: Le Seigneur doit nous faire arriver à un moment où on touche le mur. Il y a des gens où ça doit être fracassant sinon ils ne verraient pas. D'autres, ça se fait plus en douceur parce qu'ils sont capables par eux-mêmes de voir certaines choses, ils n'ont pas besoin d'être brisés pour voir ce qui se passe à l'intérieur d'eux.

Jean: J'aimerais que tu demande au Seigneur de nous enlever les écailles. Dans une prière de ton cœur au nom de tous ceux qui nous écoutent, qu'Il nous enlève les écailles et qu'Il nous rende cohérents avec nous-mêmes.

Yvon:

Seigneur, Toi qui nous écoutes aujourd'hui, Toi qui es tellement présent avec nous, Tu connais le cœur de tous ceux qui sont ici en studio et particulièrement de ceux qui sont à la maison, Tu connais toutes les fausses images qu'on a, toutes les déceptions. Seigneur, ce sont des écailles qui sont sur nos yeux. Viens Toi-même les enlever, rends-nous la lumière et rend-nous la joie que nous avions quand notre cœur était encore pur comme celui d'un enfant. Seigneur, donne-nous cette lumière aujourd'hui, merci, Seigneur.

Abbé Yvon Samson
Abbé Jean Ravary

Émission
du 23 août 1998
Romains 8: 11-16

La vie avec l'Esprit de Dieu

Et si l'Esprit de Celui qui a ressuscité Jésus d'entre les morts habite en vous, Celui qui a ressuscité le Christ Jésus d'entre les morts donnera aussi la vie à vos corps mortels par son Esprit qui habite en vous. Ainsi donc, mes frères, nous sommes débiteurs, mais non point envers la chair pour devoir vivre selon la chair. Car si vous vivez selon la chair vous mourrez. Mais si par l'Esprit vous faites mourir les œuvres du corps, vous vivrez. En effet, tous ceux qu'anime l'Esprit de Dieu sont fils de Dieu. Aussi bien n'avez-vous pas reçu un esprit d'esclaves pour retomber dans la crainte; vous avez reçu un esprit de fils adoptifs qui nous fait nous écrier: Abba! Père! L'Esprit en personne se joint à notre esprit pour attester que nous sommes enfants de Dieu.

Chers amis, ce texte, il est très beau surtout dans l'année de l'Esprit saint. Je ne voudrais pas qu'on oublie qu'on est dans cette année et parfois on rencontre des gens qui ont de la difficulté avec le mot Esprit saint. Remplacez-le tout simplement par amour! C'est l'année de l'amour parce que l'année de l'Esprit saint, c'est l'année où l'on regarde la puissance de l'amour qu'il y avait dans le cœur de Jésus face à son Père. Il y avait toujours ce lien d'amour entre Jésus et son Père, si bien que Jésus à la fin de sa vie disait: «L'amour qu'il y a dans mon cœur par rapport au Père, c'est cet amour-là que je veux mettre dans vos cœurs.» C'est tellement beau! Vous savez, quand on regarde ça avec les yeux de la foi, on a à se dire, et ce n'est pas faux, on est condamné à l'amour! Est-ce que ce n'est pas une belle nouvelle! On est condamné à être aimé et à aimer. S'il y a des chrétiens, cette année, qui découvrent la puissance de l'Esprit comme force d'amour dans leur vie, comme cela serait extraordinaire. Je suis sûr qu'il y en a, il y en a qui peut-être pendant longtemps ne se sont pas posé la question de Dieu dans leur vie. Parce qu'on a bâti un Dieu avec toutes sortes d'images qui n'étaient pas les bonnes et, tout à coup, on découvre et on nous annonce qu'on est condamné à aimer et à être aimé! Est-ce que ce n'est pas beau? Est-ce que ce n'est pas les besoins fondamentaux qui sont à l'intérieur de nous? Condamné à l'amour même quand on rencontre des difficultés, même quand il y a de la maladie, même quand on se sait pécheur, même quand qu'on se sait loin de ce Dieu qui nous aime et qui nous tend sans cesse la main.

Je passe mon temps à dire que celui qui enlève sa main, ce n'est jamais Dieu, c'est nous lorsque nous nous détournons de lui. L'année de l'Esprit, c'est d'être conscient que notre Dieu nous tend la main et nous dit: «Si tu savais le don de Dieu, si tu savais comme j'ai besoin que tu m'accueilles dans ton cœur.» Je pense que cette réflexion, on doit la laisser entrer en nous-mêmes. Si on s'arrête pour se poser la question de l'amour de Dieu, c'est tellement grand! Un jour, durant mes études, c'est un exemple que je donne souvent, il y a un professeur qui nous parlait de Jésus Ressuscité, Jésus rendu dans l'éternité. Il comparait ça à un accouchement, et les mamans vous pouvez savoir ce que ça veut dire, vous en avez vécu des accouchements. Il disait: «Jésus ressuscité, c'est comme la tête qui est arrivée, un peu comme la tête du bébé qui est arrivée. On sait très bien que les membres sont pris après la tête et que c'est l'enfant complet qui va arriver. Nous, nous sommes les membres. La tête est arrivée donc nous arriverons, c'est ça notre espérance!» Quand je vois des gens qui après une expérience de Dieu se laissent toucher le cœur, se laissent transformer dans leur cœur, ils font l'expérience d'un Dieu qui entre dans leur vie, qui vient transformer quelque chose par son amour. Je me dis: «Ils comprennent que Jésus est la tête et que nous sommes les membres.»

L'Esprit n'est pas là pour qu'on ait des peurs. «Nous n'avons pas reçu, dit saint Paul, un Esprit de peur mais un Esprit de fils et de filles adoptifs qui nous rend capable de crier "Abba!"», «Abba» qui veut dire «papa», ça veut dire plus que «Père», «Abba» c'est comme si ça voulait dire «toi-petit-papa-qui-m'aime» avec des traits d'unions entre ces mots-là pour nous faire comprendre que Dieu est proche. Je pense à la petite sainte Thérèse de l'Enfant Jésus qui a passé sa vie de Carmélite, elle est morte très jeune, elle est morte à vingt-quatre ans. Elle a passé sa vie de prière à réfléchir le mot «Abba». On a vu tantôt une sœur cloîtrée qui donnait cinq heures de sa vie par jour à la prière, la petite sainte Thérèse était comme ça. Toute sa méditation était de dire: «Dieu est mon Père, je suis sa fille.» J'ai l'impression qu'on dit ces mots-là trop vite et c'est devenu comme un acquis, il n'y a rien de pire dans l'amour que lorsqu'on se sent acquis pour quelqu'un ou que quelqu'un est acquis pour nous. Il faut s'émerveiller devant le fait que Dieu est amour, réaliser que notre Dieu est Père, non pas un Père lointain, mais un peu comme le père de l'enfant prodigue qui court et qui veut prendre son enfant, le serrer sur son cœur. On a un Dieu de tendresse. J'aime les mots du Psaume qui disent: «Dieu est tendresse et amour, lent à la colère et plein, plein de cet émerveillement d'amour.» Voilà notre Dieu, voilà celui qui nous fait signe, voilà celui qui à travers cette leçon de l'année de l'Esprit nous demande d'accueillir l'amour dans notre cœur.

Vous savez, dire des choses comme ça, ce n'est pas mièvre, ce n'est pas comme disent les jeunes «kétaine», ce n'est pas des choses loin de nous, c'est de répondre — et notre Dieu répond aux besoins fondamentaux qu'il y a dans notre cœur. Cet Esprit vient attester que nous sommes enfants de Dieu, que nous sommes fils et filles, que nous devons faire confiance un peu comme on fait confiance à nos parents, même quand on a fait des mauvais coups, même quand on n'a pas toujours été ce qu'on devrait être, on fait confiance parce qu'on sait qu'ils nous aiment. Notre Dieu, c'est ça la bonne nouvelle, Il nous aime avant qu'on l'aime! Il se lève avant qu'on soit levé pour que son amour soit présent! Comme c'est beau et comme c'est important de se dire ces mots tout simples! Dieu n'est pas un magicien, Dieu ne fait pas les choses tout seul, Dieu nous demande de donner des fruits, de faire agir ses dons de l'Esprit. Les dons de l'Esprit dans Galates 5: 22 de saint Paul; on dit que c'est «la charité, la joie, la paix, la longanimité», qui veut dire être patient longtemps longtemps, «la serviabilité, la bonté, la confiance dans les autres, la douceur et la maîtrise de soi».

Dieu notre Père, Toi le Abba qui nous aime, je Te rends grâce avec mes frères et sœurs de cette émission, fait-nous l'expérience de Toi, fait-nous découvrir la puissance de Ton amour, fais-nous vivre les fruits et les dons de l'Esprit et que notre expérience ne Te soit pas du bout des lèvres ou loin de nous, mais vienne transformer notre cœur. Je Te le demande pour chacun de nous qui sommes à l'écoute.

Amen.

Abbé Jean Ravary

Émission
du 30 août 1998
Luc 9: 11-13

Jésus parlait du règne de Dieu à la foule

Mais les foules, ayant compris, partirent à sa suite. Il leur fit bon accueil, leur parla du Royaume de Dieu et rendit la santé à ceux qui avaient besoin de guérison. Le jour commença à baisser. S'approchant, les Douze lui dirent: «Renvoie la foule, afin qu'ils aillent dans les villages et fermes d'alentour pour y trouver logis et provisions, car nous sommes ici dans un endroit désert.» Mais il leur dit: «Donnez-leur vous-mêmes à manger.» Ils dirent: «Nous n'avons pas plus de cinq pains et de deux poissons. A moins peut-être d'aller nous-mêmes acheter de la nourriture pour tout ce peuple.»

Le Seigneur nous appelle à tout donner. À remettre ce qui semble être le peu qui nous reste pour vivre. Dieu veut avoir besoin de nous pour nourrir les affamés de ce monde. Ce n'est pas important ce que nous avons et n'avons pas. Jésus nous demande de nourrir la foule.

Jean: Benoit, cette parole de Jésus qui nourrit la foule, dans quel sens te rejoint-elle?

Benoit: Cette parole a été à la base de ma vocation. Quand on regarde le défi de l'Église de l'an 2000, on se dit, où est-ce qu'on s'en va, ça n'a pas de sens, Seigneur, fais quelque chose! On peut facilement désespérer, tomber dans les ténèbres, comme les disciples voyaient le jour descendre. Quand le Seigneur a dit cette parole, j'ai ressenti dans mon cœur: «Benoit, c'est à toi qu'elle s'adresse, donne toi-même à manger, arrête de dire qu'il faut faire quelque chose, fais-le, toi.» Bien sûr, j'ai eu la même réaction que les disciples, la plupart des prêtres ont la même réaction, on se sent pauvres devant cette charge d'annoncer la Parole de Dieu, quelque chose de si grand. «Seigneur, j'ai cinq pains et deux poissons, j'ai juste mes petits talents, mes petites forces, qu'est-ce que je dois faire face à cette faim de toi que le peuple de Dieu a?»

Jean: Est-ce que ton appel au sacerdoce est venu soudainement ou ça s'est préparé depuis longtemps?

Benoit: Ça s'est préparé depuis ma jeunesse. Je me rappelle, quand j'étais petit, je disais: «Ça serait *le fun* d'être prêtre, après tout, il n'y a pas grand chose à faire, on a juste à préparer le sermon et notre semaine est faite!» Je me rappelle avoir dit ça à un prêtre. Ce n'est pas tellement ce que nous avons à faire, ce qui est important c'est ce que le Seigneur fait à travers nous. L'important, c'est de Lui donner parce que si je ne Lui donne pas au Seigneur, ce que je suis, mes forces, mes talents et mes préoccupations, si je ne Lui donne pas, je L'empêche d'agir.

Jean: C'est ce qu'on éprouve tous à un moment donné. On se dit: «Je ne serai pas capable et avec ce que je suis, est-ce que je vais y aller pareil?» C'est la question que tu t'es posée aussi? Et quand le Seigneur vient nous dire: «Donnez-leur vous-même à manger», c'est cet aspect-là qui nous demande tous de faire quelque chose.

Benoit: Ce n'est pas juste les prêtres, mais bien l'ensemble du peuple de Dieu qui est interpellé. Chacun et chacune d'entre nous, dans nos communautés chrétiennes telles qu'elles sont, on a à donner le petit peu que l'on a, le petit peu que l'on est, parce que c'est avec ça que le Seigneur fait des miracles.

Jean: Toi, tu as une philosophie de la communauté chrétienne que j'appelle humoristique, je t'ai déjà demandé: «Comment réagis-tu quand tu donnes tout ce que tu as et que tu te rends compte que la communauté ne répond pas?» Tu ne désespères pas de tes communautés chrétiennes.

Benoit: Non, le Seigneur Il appelle, Il tombe parfois sur des afficheurs, des répondeurs, mais Il continue d'appeler jusqu'à temps que ça réponde!

Jean: Le fait d'être dans un nouveau ministère avec des nouvelles personnes dans une nouvelle paroisse maintenant, est-ce que le défi est grand de recommencer avec une autre communauté?

Benoit: Le défi est grand, mais on découvre aussi la grandeur des personnes que le Seigneur nous donne pour travailler. Je regarde à la paroisse Sainte-Françoise-Cabrini; j'ai l'occasion de travailler avec des personnes extraordinaires, des personnes que je connaissais pour les avoir côtoyées à travers des rencontres de zones, mais des personnes qui sont habitées de la présence de Dieu d'une façon différente et complémentaire. C'est ça qui est extraordinaire. Anciennement on avait peut-être beaucoup de prêtres, mais maintenant on découvre une richesse différente qui nous permet d'élargir la mission. Il n'y a pas seulement les sacrements à l'intérieur de la vie de l'Église, il y a toute la vie de prière, toute la vie de l'évangélisation et ça, on n'a pas besoin d'être prêtre pour faire ça, il suffit d'être baptisé et d'y croire.

Jean: Il y a tout le cheminement aussi de la vie avec les confrères?

Benoit: C'est très important, d'ailleurs je suis venu avec un confrère aujourd'hui, pour moi c'est très important d'être solidaires ensemble. Jésus, quand Il a envoyé ses disciples la première fois en mission, les soixante-douze, Il les envoya deux par deux pour être bien certain de ne pas se laisser écraser par le poids de la mission qui est exigeante.

Jean: Le deux par deux, ça c'est important! Jésus veut qu'on soit toujours deux ou trois en son nom pour qu'Il soit là, pour que l'on ne prenne pas le crédit de quelque chose. C'est pour ça qu'on reçoit des prêtres pour qu'ils nous parlent de leurs ministères, qu'ils nous parlent de ce qu'ils sont. J'aimerais ça que tu fasses toi-même la prière à Jésus pour Lui donner ce que tu es, Lui donner tes paroissiens, Lui donner au fond tous les chrétiens.

Benoit:

Seigneur Jésus, Tu nous as dit que là où deux ou trois sont réunis en Ton nom, que Tu serais toujours là au milieu de nous. Donne-nous cette sagesse de Te reconnaître présent dans nos frères et dans nos sœurs, qu'ils soient dans le besoin ou non, Tu es toujours présent. Donne-nous Ton Esprit saint, qu'Il nous éclaire, qu'Il nous guide, qu'Il nous donne la force nécessaire pour poursuivre cette mission.

Abbé Benoit Saint-Onge
Abbé Jean Ravary

Émission
du 6 septembre 1998
Luc 10: 1-3, 5-6

Jésus envoie les soixante-douze disciples en mission

Après cela, le Seigneur désigna soixante-douze autres et les envoya deux par deux en avant de lui dans toute ville et tout endroit où lui-même devait aller. Et il leur disait: «La moisson est abondante, mais les ouvriers peu nombreux; priez donc le Maître de la moisson d'envoyer des ouvriers à sa moisson. Allez! Voici que je vous envoie comme des agneaux au milieu de loups. En quelque maison que vous entriez, dites d'abord: "Paix à cette maison!" Et s'il y a là un fils de paix, votre paix ira reposer sur lui; sinon, elle vous reviendra.»

Dans la Parole proposé aujourd'hui, Jésus veut nous garder très conscients que son message ne sera pas reçu par tous. Il met le disciple en face du défi de donner une couleur du Royaume à sa vie! Mais ses solutions sont étranges et étrangères aux tactiques simplement humaines. Il nous recommande d'entrer dans ce cœur à cœur intime avec le Père, moyen sûr de vivre la grande Paix apportée par sa Parole.

C'est cette parole que j'ai commentée pour la première fois et elle est toujours aussi belle dans mon cœur. C'est la mission d'annoncer la joie de la Parole de Dieu. C'est tellement bouleversant de savoir que Jésus compte sur nous, pauvres humains avec nos limites, Il nous envoie proclamer Sa Parole. Il nous dit que la moisson est abondante, nous disons: «On va travailler trois fois plus.» Lui, Il dit: «Priez.»

Je demande au Seigneur que nous ayons toujours conscience de ce temps de prière. Ce n'est peut-être pas toujours facile, mais je pense que c'est important de prendre un temps de prière et de se retirer.

Quand j'étais au grand séminaire, alors que je me préparais à devenir prêtre, j'avais beaucoup méditer cette Parole du Benidictus de Zachari qui disait: «Et toi petit enfant (il parlait de Jean-Baptiste) tu seras appelé prophète du Très Haut parce que tu vas marcher devant le Seigneur pour préparer Ses voies.» Il me semble que c'était ça, ma mission de diacre, de prêtre, marcher devant Lui et m'effacer ensuite pour que Lui agisse. C'est ça, la Parole!

Le Seigneur nous envoie comme des agneaux au milieu des loups. Il sait que ça ne sera pas toujours facile, Il sait qu'on ne sera pas toujours reçu, Il sait qu'on va être critiqué et ridiculisé. Quand on a commencé, Sylvain en parle souvent, ce projet d'*Évangélisation 2000*, on nous a dit que ce n'était pas possible et que ça ne pouvait pas marcher. Et voilà, le Seigneur prend une situation en main et dit: «Je suis là, laissez-moi agir.»

Être des annonceurs de la Parole. Je veux rendre hommage à un homme qui a été un grand annonceur de la Parole, le père Jean-Paul Réginbald. Il a été un annonceur extraordinaire de la Parole de Dieu au Québec. On va fêter dans deux jours le dixième anniversaire de sa mort, cet homme a tout donné ce qu'il avait à la Parole de Dieu. Demain, le 7 septembre, à Granby, il y aura une grande soirée de prière en son honneur, je vous y invite, si vous pouvez y être. On se rassemblera pour rendre grâce au Seigneur pour ce serviteur de la Parole. Lui, ainsi que d'autres, m'ont stimulé à servir la Parole de Dieu avec une joie et une audace sans bornes. Je me rends bien compte que c'est l'Esprit qui met en nous cette joie et cette audace. Quand je voyais ces hommes proclamer la Parole de Dieu sans peur, proclamer que Jésus est vraiment Celui qui continue d'agir dans nos cœurs, qui continue de transformer des cœurs, de transformer même des corps. Ces hommes-là peuvent nous stimuler à aller plus loin. Cet homme dont on va faire mémoire, j'en rends grâce au Seigneur. Vous avez sûrement eu des personnes, ça peut être vos parents, un prêtre, quelqu'un que vous avez connu, qui ont été comme des allumeurs de la Parole de Dieu.

Jésus nous dit: «Tenez bon, Je suis là, quand bien même il y aurait toutes les difficultés du monde, Je suis là. Ne lâchez pas, restez unis à Moi dans l'amour, dans l'espérance, parce que le résultat de ce que Je mettrai dans vos cœurs, c'est la Paix. La Paix, Je vous la donne et Je veux qu'à votre tour, vous alliez la porter pour la donner aux autres. Et si on la refuse, votre Paix, allez-vous-en et allez la porter à ceux qui peuvent l'accueillir.»

Notre Dieu est vraiment un Dieu respectueux et en même temps, un Dieu audacieux. C'est ce respect des autres et de la Parole de Dieu et cette audace que je voudrais vivre dans ma vie de prêtre. En commençant cette troisième saison avec vous, je suis tellement heureux de vous inviter à placer la Parole de Dieu au cœur de votre vie.

Je demande au Seigneur avec vous en ce début de nouvelle saison:

Je Te bénis, Seigneur, parce que Tu es tendresse, Tu es amour, Tu es Parole incarnée. Tu es vraiment Celui qui vient nous dire: «Faites-moi confiance, ne craignez pas, je suis là et soyez certains que je suis là avec vous tous les jours jusqu'à la fin des temps.» Seigneur, que Ton peuple accueille encore cette année Ta Parole pour que nous puissions la laisser nous transformer parce que Tu es Dieu de bonté, de tendresse et d'amour pour chacun de nous.

Amen.

Abbé Jean Ravary

Émission du 13 septembre 1998
Luc 18: 10-14

La parabole du Pharisien et du collecteur d'impôts

«Deux hommes montèrent au Temple pour prier; l'un était Pharisien et l'autre publicain. Le Pharisien, debout, priait ainsi en lui-même: «Mon Dieu, je te rends grâce de ce que je ne suis pas comme le reste des hommes, qui sont rapaces, injustes, adultères, ou bien encore comme ce publicain; je jeûne deux fois la semaine, je donne la dîme de tout ce que j'acquiers.» Le publicain, se tenant à distance, n'osait même pas lever les yeux au ciel, mais il se frappait la poitrine, en disant: «Mon Dieu, aie pitié du pécheur que je suis!» Je vous le dis: ce dernier descendit chez lui justifié, l'autre non. Car tout homme qui s'élève sera abaissé, mais celui qui s'abaisse sera élevé.»

Dans ce texte, le Seigneur vient nous apprendre l'humilité. Il vient nous redire l'importance de rester simple. Il nous invite également à ne jamais juger notre prochain. Parfois ceux qui semblent loin de Dieu par leur attitude, sont souvent beaucoup plus proches de Lui qu'on ne pourrait l'imaginer. Ce ne sont pas nos gestes extérieurs qui importent ici pour le Seigneur, mais bien cette relation d'intimité avec Lui.

Si vous saviez comme j'apprécie ce texte et quand je prends le temps de le méditer pour moi, c'est une très belle Parole de Dieu où le Seigneur vient nous redire: «Ce n'est pas l'extérieur que je veux regarder chez toi, mais bel et bien l'intérieur.» Le Seigneur veut tellement nous montrer l'humilité dans ce texte. Le pharisien qui arrive, il dit: «Moi, je fais tout ce que tu me demandes», et le publicain qui n'ose même pas regarder au ciel tellement il se sait pécheur, il sait qu'il a besoin de la miséricorde de Dieu. Moi, je me méfie souvent des gens que j'entends parfois, ce n'est pas en jugeant que je veux le dire, c'est quand j'entends des gens dire: «Moi, je vais à la messe tous les dimanches; moi, je suis parfait; moi, je dis mon chapelet à tous les jours, je dis mon rosaire, je donne ma dîme à l'Église, je fais telle et telle chose…» Ce n'est peut-être pas ça que le Seigneur veut entendre, le Seigneur a peut-être le goût de dire: «Est-ce que tu as encore besoin de moi, même si tu fais toutes ces choses extérieures?» Ne me faites pas dire ce que je ne dis pas, je ne dis pas qu'il ne faut pas aller à la messe, qu'il ne faut pas dire le chapelet, qu'il ne faut pas dire le rosaire, mais ne jamais s'en vanter. Malheureusement, on entend ça parfois chez des gens.

J'aime parfois mieux regarder un jeune qui se sent parfois loin de l'Église, qui a des difficultés à vivre pleinement comme l'Évangile nous le demande. Nous autres les humains, on est porté à juger l'extérieur alors que le Seigneur sait très bien qu'il existe une intimité extraordinaire avec cette personne-là. Je vous donne un exemple concret. Je connais une personne, un homme d'affaires d'une cinquantaine d'années qui, malheureusement, et c'est son choix, a décidé de ne jamais aller à la messe de sa vie. Pourtant, il croit. Dernièrement, je mangeais avec lui, il me disait: «Je ne sais pas ce qui arrivera après ma mort.» Alors je lui disais: «Mais qu'est-ce que tu fais pour les autres?» Il s'est mis à me dire que tous les dimanches, il s'occupe d'une personne qui a le sida et, dans l'après-midi, il rencontre une jeune fille qui est handicapée, qui a de la misère à marcher, il lui aide à faire ses commissions. Je disais à cet homme: «Tu vis l'Évangile.» Le Seigneur nous dit: «Tout ce que tu feras au plus petit d'entre les miens, c'est à Moi que tu le fais.» Ce qui est beau, depuis douze ans que je le connais, c'est qu'il ne m'en avait jamais parlé, il ne s'en était jamais vanté. Je disais à cet homme: «Comme le Seigneur doit te trouver beau dans ta profondeur de s'occuper ainsi des plus petits!»

Si on prenait le temps, chacun et chacune de nous, au lieu de regarder l'extérieur, au lieu de regarder ce que les gens font, si on regardait l'intérieur. Moi, ça me frappe toujours quand on voit quelqu'un qui a fait un crime très grave. J'ai cette image dans la tête de n'importe quel crime qu'on pourrait s'imaginer, avant de juger cette personne-là, prenons le temps de nous rappeler qu'un jour cette personne a été un petit bébé naissant, prenons le temps de nous dire que derrière ce geste si grave, il s'est passé quelque chose dans sa vie pour qu'il ou elle en arrive-là. On est tous venus au monde sur le même pied et on a tous été des petits bébés. Quand je regarde un petit bébé aujourd'hui, je me dis: «Qui sera cette personne dans vingt ou dans trente ans?» Rappelons-nous, quand quelqu'un a fait une bêtise très grave, qu'un jour il a été un tout petit enfant extrêmement pur, mais aujourd'hui quelque chose l'a blessé dans sa vie. Il faudrait, avant de juger quelqu'un, toujours penser à ça.

J'aimerais, si vous voulez, qu'on prenne le temps de prier et d'offrir au Seigneur tout notre intérieur, de Lui dire qu'on a besoin de Lui, comme ce collecteur d'impôts, et essayer de demander au Seigneur de chasser en nous ce Pharisien qui, parfois, aimait se tirer les bretelles. On pourrait appeler ça de l'orgueil spirituel:

Seigneur Jésus, je veux Te dire merci aujourd'hui de nous faire prendre conscience, à chacun et chacune à la maison, qu'on a besoin de Toi. Seigneur, pardon pour les fois que nous avons été Pharisiens dans notre vie, je crois qu'on l'a tous été. Seigneur, pardon pour les fois où on ne T'a pas reconnu dans le plus petit, le plus pauvre. Seigneur, pardon pour toutes les fois où on T'a rejeté en pensant que c'était seulement les grands de ce monde qui Te connaissaient. Apprends-nous, Seigneur, à T'aimer à travers les plus petits.

Amen.

Sylvain Charron

Émission du 20 septembre 1998
Jean 11: 20-26

Jésus est la résurrection et la vie

Quand Marthe apprit que Jésus arrivait, elle alla à sa rencontre, tandis que Marie restait assise à la maison. Marthe dit à Jésus: «Seigneur, si tu avais été ici, mon frère ne serait pas mort. Mais maintenant encore, je sais que tout ce que tu demanderas à Dieu, Dieu te l'accordera.» Jésus lui dit: «Ton frère ressuscitera. — Je sais, dit Marthe, qu'il ressuscitera à la résurrection, au dernier jour.» Jésus lui dit: «Je suis la résurrection. Qui croit en moi, même s'il meurt, vivra; et quiconque vit et croit en moi ne mourra jamais. Le crois-tu?»

La mort est un mystère pour tout humain… On sent bien qu'on est fait pour la vie et la Vie en abondance. Dans cette scène évangélique, on voit Jésus confronté à la mort de son ami Lazare. Il affronte les questions que portent ses sœurs Marthe et Marie.

Et c'est alors qu'il fait la grande révélation sur ce mystère et sa personne et qu'à la suite... Il nous pose à chacun la grande question de notre acceptation de ce qu'Il est Lui-même au cœur de notre quotidien!

Cette question reste posée et je dis souvent qu'il n'y a pas de recette pour la mort. Jean-François, vingt-cinq ans, un enfant de cinq ans, un vieillard de quatre-vingt-quinze ans, il n'y a comme pas de recette. Marthe et Marie qui venaient de perdre leur frère Lazare et savaient très bien, elles aussi, qu'il y avait des réactions émotives dans leur cœur. Moi, je veux respecter ces réactions qu'on a parfois à la mort de quelqu'un ou devant une situation de détachement et de détresse devant la mort. Je ne blâme pas une personne qui pleure, je ne pense pas qu'elle n'a pas d'espérance, c'est normal. J'écoutais parler madame et monsieur tantôt, et je me disais: «Comment ils ont fait pour être capables de nous parler de la mort de leur fils, que ça doit être déchirant et dur de sentir qu'il y a une partie d'eux qui n'est plus là!» Pourtant, dans la foi, ils ont reçu dans leur cœur cette question, cette même question que Jésus a posée à Marthe et à Marie.

Marthe était un peu vigoureuse, elle a fait des reproches à Jésus un peu comme on a le goût d'en faire à la mort de quelqu'un. Il n'y a rien qui justifie la mort de quelqu'un, quel que soit son âge, mais on dirait que c'est pire lorsque les personnes sont jeunes. Marthe dit à Jésus que s'Il avait été là, Il aurait pu faire quelque chose. Jésus a respecté sa douleur, Il n'a pas été contre, et là Il lui a demandé la question: «Je suis la Résurrection et la Vie, celui qui croit en Moi, s'il meurt, il vivra. Est-ce que tu crois cela, Marthe?» La question est posée à chacun de nous,

Jésus nous demande à chacun de nous qui sommes à l'écoute présentement: «Est-ce que tu crois que J'ai quelque chose à faire dans ta vie? Est-ce que tu crois que Je peux faire partie de ta vie, que Je peux dire quelque chose à ta vie, dans ton quotidien?» Souvent on oublie Jésus, on oublie Son Témoignage, on oublie Sa Parole, on dit qu'on aura le temps quand on sera plus vieux. Et voilà que Jésus, à travers un événement comme celui dont on vient de parler, vient nous dire: «Est-ce que tu crois cela?» La question nous est posée, et c'est à nous d'y répondre.

Félix Leclerc disait: «La mort, c'est plein de vie dedans.» J'aime cette phrase-là, et comme c'est grand, comme c'est important qu'on réalise qu'entrer dans le cœur de Dieu fait partie de notre vie, c'est l'aboutissement de notre vie. On est ici en transit et ça, on l'oublie, on s'installe, on imagine qu'on est éternel, qu'on ne mourra jamais, et voilà que quand quelqu'un nous parle d'un événement comme celui dont on vient de parler, ça nous bouleverse. Il faut être capable de dire: «Est-ce que je crois que Jésus est Résurrection et Vie, est-ce que je crois que Lui, il a quelque chose à dire à mon quotidien à moi?» J'ai un texte ici que j'aimerais vous lire, il n'est pas très long, mais il est très beau. Ça dit ceci:

«Je suis debout au bord de la plage, un voilier passe dans la brise du matin et part vers l'océan. Il est la beauté, il est la vie. Je le regarde jusqu'à ce qu'il disparaisse à l'horizon et je dis: “Il est parti, parti vers où? Parti de mon regard, c'est tout.” Son mât est toujours aussi haut, sa coque a toujours la force de porter sa charge humaine. Sa disparition totale de ma vue est en moi, pas en lui. Juste au moment où quelqu'un près de moi dit: “Il est parti”, il y en a d'autres qui, en le voyant poindre à l'horizon, peuvent s'exclamer de joie en disant: "Le voilà, il arrive!" »

C'est ça, la mort. C'est une belle parole qui nous fait comprendre cette phrase qu'on dit souvent dans la liturgie des funérailles: «La vie n'est pas détruite, elle est transformée.» Parce que Jésus est vie en abondance, la mort passe, mais ne détruit pas la vie.

Seigneur, sois béni parce que Tu es source de vie et vie en abondance. Au cœur de toutes nos morts, Jésus, viens nous apprendre que la vie est plus forte que la mort. Que Toi, Tu n'as pas dit Ton mot et le point final à nos petites morts de chaque jour! Viens, Seigneur, nous faire vivre d'espérance et nous faire accueillir la réalité de Ta vie en abondance.

Amen.

Abbé Jean Ravary

Émission du 27 septembre 1998
Jean 13: 2-5, 12, 14

Jésus lave les pieds de ses disciples

Au cours d'un repas, alors que déjà le diable avait mis au cœur de Judas Iscariote, fils de Simon, le dessein de le livrer, sachant que le Père lui avait tout remis entre les mains et qu'il était venu de Dieu et qu'il s'en allait vers Dieu, il se leva de table, déposa ses vêtements, et prenant un linge, il s'en ceignit. Puis il mit de l'eau dans un bassin et il commença à laver les pieds des disciples et à les essuyer avec le linge dont il était ceint. Quand il leur eut lavé les pieds, qu'il eut repris ses vêtements et se fut remis à table, il leur dit: «Comprenez-vous ce que je vous ai fait? Si donc je vous ai lavé les pieds, moi le Seigneur et le Maître, vous aussi vous devez vous laver les pieds les uns aux autres.»

Un Dieu à genoux devant l'humanité comme un esclave face à son Maître! Mystère déconcertant de l'incarnation! Et ce Dieu veut nous laver tous du torrent de son Amour pour que nous devenions signes de l'Amour!

Jean: C'est un texte qui est très prenant, c'est parmi les grands gestes de Jésus avant de mourir, j'aimerais que tu nous en parles.

Christian: Ce qui me bouleverse d'abord, c'est Jésus aux pieds de ses disciples. Jésus qui se fait enfant, qui se fait humble, qui se fait tout petit pour nous dire à nous comment on est grand. Comment on est important pour l'enfant, comment le jeune, il est important pour ses parents, comment les éducateurs sont importants dans le ministère qu'ils font. Jésus qui nous prie. Avant de prier, il y a quelqu'un qui nous prie et ça me bouleverse. C'est Jésus à nos pieds qui dit: «Écoute, j'ai besoin de toi, j'ai besoin de tes yeux, j'ai besoin de tes bras, j'ai besoin de tes mains, j'ai besoin de ta voix. Je veux parler au monde d'aujourd'hui, je veux leur faire entendre le message, j'ai besoin de toi.» Alors, moi, c'est un Jésus à mes pieds qui me dit: «Tu sais, je n'ai personne d'autre que toi pour faire le travail que j'ai à faire pour le monde d'aujourd'hui.» Ça me revire toujours le cœur et ça me fait tellement découvrir l'importance que j'ai aux yeux de Dieu et aux yeux des humains que j'ai à rencontrer.

Jean: C'est important que chaque personne dise ces mots-là, parce qu'on est tous importants pour Dieu.

Christian: Il faut que chacun des croyants entende ces mots de Jésus, Jésus à nos pieds qui nous demande pardon. Je suis sûr que Jésus, aux pieds des disciples, leur demande pardon. Il nous demande pardon: «Pardon à toi, l'épouse, à qui j'ai confié ce mari alcoolique, pardon à toi, la mère, à qui j'ai donné cet enfant handicapé, cet enfant drogué, pardon à toi, le jeune, qui a eu des parents en difficultés. Je te demande pardon parce que si Je t'ai confié cet enfant-là, si Je t'ai confié ce mari-là, si Je t'ai confié ces parents-là, c'est parce que Je te fais confiance. C'est parce que Je crois en tes possibilités d'amour, et c'est pour ça que tu as eu une mission plus délicate, plus difficile à remplir qu'une autre.»

Moi, je suis certain que le Seigneur a à nous demander pardon! D'ailleurs, je pense que Pierre l'avait très bien saisi quand Jésus arrive pour lui laver les pieds. «Pour aucune considération me laver les pieds à moi, jamais!» Pierre est un homme très fier et c'est un homme qui voulait mettre des enfants au monde, il voulait remplir l'Église à craquer, il voulait ramener des brebis perdues, il voulait aimer, il voulait donner sa vie; il aurait voulu mettre des enfants au monde, mais sans douleur. C'est un homme qui ne voulait pas souffrir. Je pense que Pierre devait se dire qu'un homme ça ne pleure pas, un homme ça ne plie pas et un homme ça ne souffre pas.

Jean: Il a eu sa leçon *(rires)*.

Christian: Oui, et c'est ça qui est beau. Je le comprends quand même, quand Jésus est à mes pieds et qu'Il me demande de me dépasser, d'aller un peu plus loin dans l'amour, j'ai la même réaction que Pierre, et quelques fois j'aurais aimé Lui dire comme chacun de nous: «Jésus, Tu me déranges, Tu me fatigues à me demander des choses quand j'ai l'impression que je n'ai pas ce qu'il faut pour les réaliser. Je suis fatigué que Tu me préfères, aime-moi un peu plus raisonnablement.» Je trouve ça tellement beau quand des mères de famille disent: «Je pense, Seigneur, que Tu comptes trop sur moi, je pense que Tu Te fies trop à moi, va donc voir quelqu'un d'autre.» C'est très beau! C'est une réaction humaine de dire: «Jésus, Tu m'en demandes trop; Jésus, Tu comptes trop sur moi; Jésus, jusqu'où Tu vas aller dans l'amour avec moi?» Saint-Jean de la Croix disait: «À l'amour qui t'emporte et qui t'entraîne dans ces temps-ci, ne le lui demande pas où il va te conduire, laisse-toi conduire!»

Jean: Je te remercie d'avoir été avec nous aujourd'hui et merci de cette nouvelle façon de voir l'Évangile et bon ministère.

Christian: Merci.

Abbé Christian Beaulieu
Abbé Jean Ravary

**Émission
du 4 octobre 1998
Hébreux 4: 12-13**

La puissance de la Parole de Dieu

Vivante, en effet, est la parole de Dieu, efficace et plus incisive qu'aucun glaive à deux tranchants, elle pénètre jusqu'au point de division de l'âme et de l'esprit, des articulations et des moelles, elle peut juger les sentiments et les pensées du cœur. Aussi n'y a-t-il pas de créature qui reste invisible devant elle, mais tout est nu et découvert aux yeux de Celui à qui nous devons rendre compte.

Dieu a tellement confiance dans l'homme qu'Il lui donne Sa Parole. Elle se fait Chair et devient l'Un de nous! Tout acte de foi est à base d'une Parole à qui on fait confiance! Et cette Parole ne veut laisser personne indifférent et nous lance en avant pour être contagieux d'un Esprit qui nous engage pour Dieu et pour les autres!

Comme c'est beau. Ce texte m'a toujours rejoint parce qu'il nous parle de la Parole. Quand on dit que Dieu le Père nous a donné sa Parole en Jésus, le Verbe s'est fait chair. Quand on dit: «Je te donne ma parole», ça veut dire: «Je te fais confiance», pour répondre au Père il faut accueillir cette Parole.

Quand j'ai étudié en théologie, je me souviendrai toute ma vie d'un professeur qui nous parlait de la Parole de Dieu, qui nous parlait de la Bible. Il disait: «Quand vous ouvrez la Bible, ne vous dites pas que c'est un texte que vous allez lire, mais une personne que vous allez rencontrer.» Voilà un peu le sens de cette Parole qui nous est donnée. Tantôt, dans le témoignage de Michel, il nous disait: «La Parole, on ne la lit pas assez, nous les catholiques, nous ne sommes pas conscients de tout ce qu'elle porte, on la place sur des bibliothèques, on la place dans des endroits bien en vue, mais ça reste là.» C'est un drame, c'est dommage qu'à un moment donné dans l'Église, on nous a dit: «Ne lisez pas la Parole, vous ne comprendrez rien!» C'est ce qui a fait que les catholiques se sont un peu éloignés de la Parole. À ce niveau-là, on a des leçons à apprendre de nos frères protestants qui, eux, plongent dans la Parole, font l'expérience de la Parole et réalisent que la Parole, c'est quelqu'un! C'est quelqu'un qui vient nous transformer, quelqu'un qui vient nous faire avancer, nous donner un élan.

Un jour, j'ai entendu un témoignage d'un homme haïtien qui était chauffeur de taxi, qui exerçait donc un métier très simple, et qui, en parlant, tout à coup, me dit comme ça: «Moi, tous les jours, je lis la Parole, mais avant de la lire, comme c'est Dieu lui-même que je touche dans sa Parole, je vais me laver les mains, parce que je suis comme indigne d'arriver et de prendre cette Parole, et j'ai un respect pour cette Parole, parce que c'est Dieu lui-même qui me rejoint et qui me parle!»

On vient d'entendre le texte qui est beau, la Parole qui est semence en nous, qui est lumière, qui nous transforme, qui vient nous faire prendre nos vraies décisions dans la jointure, comme dit la Parole, de l'âme et du cœur, la Parole qui nous travaille, qui nous opère et qui est là pour faire quelque chose avec nous. C'est ça la Parole de Dieu, c'est dommage qu'on n'ait pas compris ça, c'est dommage qu'on écoute discrètement la Parole. Sylvain vient de nous le dire, dans les annonces, qu'on a l'occasion de recevoir l'Évangile selon saint Jean, c'est la Parole de Dieu, gratuitement comme ça on veut répandre la Parole de Dieu. Ça serait important que vous la demandiez, ça serait important qu'une fois que vous l'avez reçue, que vous la lisiez, ça serait important que peut-être cinq minutes par jour qu'on prenne la Parole et on plonge dedans en se disant: «C'est Jésus qui me parle, Il a quelque chose à me dire.»

La foi, c'est la réponse de notre cœur à la Parole qui nous est donnée. C'est un peu cette réalité de cette Parole qui nous met en route pour les autres. Quand on a reçu la Parole, bien automatiquement on sent qu'il faut s'engager. C'est un peu ce qui est arrivé à Marie, Marie qui reçoit à l'Annonciation la Parole qui se fait chair en elle, et tout de suite, elle part pour rencontrer sa cousine Élisabeth. Elle se met au service des autres parce que la Parole l'a rejointe. La Parole, nous dit le texte aux Hébreux, a un pouvoir de jugement en nous. D'ailleurs, un jour, Jésus a dit: «Qui ne reçoit pas ma Parole a son propre juge, c'est la Parole qui va vous juger, ce n'est pas moi. Je ne suis pas venu pour juger, je ne suis pas venu pour condamner, mais vous allez placer votre vie devant la Parole et vous allez voir que ça ne peut pas coïncider très souvent dans votre comportement face à ce que je vous demande comme message.»

Il est temps, frères et sœurs, que la Parole de Dieu agisse en nous et quand je vois un gars aussi simple que Michel qui, lui, à travers l'expérience de l'adoption de ses enfants, découvre tout à coup l'importance de la Parole de Dieu, l'importance de ce Dieu qui travaille son cœur, je me dis que si c'est vrai pour lui, c'est vrai pour nous. Pourquoi pas risquer de dire à Dieu: «Que Ta Parole agisse en nous, on en a tellement besoin.» Je vous invite à la demander cette Parole, écrivez-nous, ça nous fera plaisir, mais je vous invite surtout à la lire. Il faudrait presque se donner un mot d'ordre: «Prenons cette Parole et lisons au moins cinq minutes par jour, non pas distraitement, mais pour la prier pour qu'elle entre en nous, pour qu'elle germe et produise des fruits.» Le jour où on fera cela comme chrétien, comme catholique, la face de l'Église sera changée parce que chacun se rendra compte que l'expérience doit se faire de l'intérieur.

Seigneur, Toi qui est Parole incarnée, je te bénis. Rends-nous conscients de l'importance que Tu as dans nos vies et ouvre notre cœur à ce que Tu sois Toi-même Parole faite chair et dis-Toi, Seigneur, comme Parole dans tous les événements de nos vies.

Amen.

Abbé Jean Ravary

Émission du 11 octobre 1998
Éphésiens 2: 4-9, 18-19

Ce n'est pas par vos œuvres que vous serez sauvés, mais bien par la grâce

Mais Dieu, qui est riche en miséricorde, à cause du grand amour dont Il nous a aimés, alors que nous étions morts par suite de nos fautes, nous a fait revivre avec le Christ — c'est par grâce que vous êtes sauvés! — avec lui Il nous a ressuscités et fait asseoir aux cieux, dans le Christ Jésus. Il a voulu par là démontrer dans les siècles à venir l'extraordinaire richesse de sa grâce, par sa bonté pour nous dans le Christ Jésus. Car c'est bien par la grâce que vous êtes sauvés, moyennant la foi. Ce salut ne vient pas de vous, il est un don de Dieu; il ne vient pas des œuvres, car nul ne doit pouvoir se glorifier... par lui nous avons en effet, tous deux en un seul Esprit, libre accès auprès du Père. Ainsi donc, vous n'êtes plus des étrangers ni des hôtes; vous êtes concitoyens des saints, vous êtes de la maison de Dieu.

Comme c'est merveilleux de réaliser que nous sommes les enfants du Roi des Rois. Le Père nous a tellement aimés qu'Il a donné Son Fils Unique afin que nous ayons la vie. Dieu nous a donné quelque chose que nous ne méritions même pas, le Salut. Nous n'avons pas à payer pour cela; cela est gratuit, c'est un cadeau royal de la part de Dieu Lui-même!

Bonjour, ce texte me rejoint énormément. Quand je le méditais cette semaine en préparant ce que je vais vous dire aujourd'hui, je regardais les nouvelles et je me disais: «Comme ça ne tourne pas round dans le monde!» Ça ne prend pas un grand cours d'université pour savoir que notre société est un peu malade et même beaucoup. Quand on regarde les bruits de guerre, quand on regarde des jeunes adolescents qui s'entre-tuent dans les écoles, quand on voit le problème de la pauvreté, du chômage, je me dis qu'il y a quelque chose qui ne marche pas. On n'a qu'à écouter les lignes ouvertes, un petit peu partout, à la télévision ou à la radio, où beaucoup de gens essaient de trouver pourquoi ça ne tourne pas round. Il y a beaucoup de psychiatres, de sociologues et de psychologues qui essaient de trouver des raisons pourquoi notre monde ne tourne pas round et la seule vraie réponse, c'est la Parole de Dieu qui nous la donne, c'est quand la Bible nous dit que nous sommes tous pécheurs, nous avons tous des limites, et c'est important de se le rappeler, on est tous sur le même pied d'égalité comme pécheurs.

La Bible nous dit aussi que Dieu nous a tellement aimés qu'Il nous a donné son fils unique afin que nous soyons sauvés. Ce qui est beau dans le texte qu'on vient d'entendre où saint Paul nous dit: «Ce n'est pas par vos œuvres que vous serez sauvés mais bien par la grâce.» C'est un don gratuit de la part de Dieu Lui-même. Beaucoup de fois, on entend des gens dire: «Il est en train de gagner son ciel» ou «Je vais gagner mon ciel.» Ce n'est pas ça que la Parole de Dieu dit, la Parole de Dieu nous dit aujourd'hui et ce n'est pas moi qui l'invente, que c'est un don gratuit. Nous n'avons pas à payer pour entrer au ciel. Saint Paul nous dit: «Ce n'est pas par vos œuvres, afin que vous ne deveniez pas orgueilleux», c'est vraiment la grâce qui nous sauve. Des gens vont peut-être dire que c'est facile à dire et qu'on n'a rien qu'à faire n'importe quoi! Ce n'est pas ça, je pense qu'il faut ajuster notre vie à tout moment et à tous les jours au plan du salut. Ajuster notre vie le plus possible, même si nous savons que nous allons faire des erreurs.

On n'a qu'à regarder cette carte routière qui est la Parole de Dieu, et on a toutes les indications pour s'assurer d'une vie éternelle, c'est très important! On n'a pas à gagner notre ciel, il nous a été donné par Jésus-Christ Lui-même, c'est un cadeau royal! Quand on prend conscience qu'on fait partie de cette famille, que notre Père c'est le Roi des Rois, ce n'est pas n'importe qui, et qu'il a pris la peine d'envoyer Son Fils unique afin qu'on soit sauvés, Il nous a tout donné. Ce qui est dommage, parfois nous, les êtres humains, on Le rejette, on l'oublie complètement.

Aujourd'hui, j'aimerais avec vous les gens qui sont à la maison, peu importe où vous êtes, qu'on puisse prendre le temps de dire au Seigneur qu'on veut revenir vers Lui. Aujourd'hui, pas demain, aujourd'hui est un temps de décision. Si vous désirez, dans votre vie, la paix, la joie profonde, un bonheur total et l'assurance d'une vie éternelle, la seule personne qui peut vous donner ceci, c'est Jésus-Christ Lui-même qui a donné sa vie pour chacun et chacune d'entre nous. C'est un cadeau extraordinaire. Je sais que certains d'entre vous diront: «J'ai trop fait de bêtises dans ma vie!» Et moi je vous dirai: «Non, il n'est jamais trop tard pour revenir à Jésus.» Je veux m'adresser aux gens, que vous soyez à la maison, dans un centre de personnes âgées, peu importe où vous êtes, même pour les gens qui nous écoutent le soir, je sais que dans certains bars et certaines tavernes, il y a des télévisions, le Seigneur veut vous rejoindre là aussi aujourd'hui, peu importe votre situation! Il y a peut-être des gens qui nous écoutent le soir et qui ont pris un verre de trop, le Seigneur veut vous rejoindre aujourd'hui même! Pas demain, c'est un temps de décision. Il est possible aujourd'hui de dire au Seigneur: «Moi, je veux revenir vers Toi, j'ai besoin de Toi.»

Si vous voulez, j'aimerais qu'à la maison, on puisse fermer les yeux, baisser la tête et dire à mesure que je vais prier, dire les mêmes paroles dans votre cœur, et vous allez voir que ce n'est pas compliqué, parce qu'aujourd'hui, ce n'est pas des farces, c'est la Parole de Dieu qui le dit: «Votre vie peut changer à tout jamais!»

Seigneur Jésus, tel que je suis, je viens à Toi. Bien sûr avec mes limites, mes erreurs, mes défauts mais, Seigneur, aujourd'hui, j'ai le goût de revenir vers Toi. Je veux d'abord te demander pardon pour toutes les fois que je T'ai rejeté, pour toutes les fois que je T'ai oublié, pour toutes les fois que je T'ai tourné le dos. Aujourd'hui, Seigneur, je veux prendre une décision de changer ma vie. Je suis fatigué de ne plus être heureux, je suis fatigué de me chercher dans tous les sens, je suis fatigué de Te chercher partout, alors que Tu es à l'intérieur de moi. Seigneur, sois assez bon pour me reprendre avec Toi. J'ai tellement besoin de me sentir aimé, de me sentir accepté. Sûrement que le Seigneur a le goût de dire à chacun qui est à la maison: «Viens mon gars, viens ma fille, peu importe ce que tu as fait, il n'y a rien de trop grave pour Moi.» Seigneur, merci de nous rejoindre à ce point, merci de nous donner une vie nouvelle et une vie en abondance.

Amen.

Sylvain Charron

Émission
du 18 octobre 1998
Corinthiens 1: 27-31

Jésus à contre-courant!

Mais ce qu'il y a de fou dans le monde, voilà ce que Dieu a choisi pour confondre les sages; ce qu'il y a de faible dans le monde, voilà ce que Dieu a choisi pour confondre ce qui est fort; ce qui dans le monde est sans naissance et ce que l'on méprise, voilà ce que Dieu a choisi; ce qui n'est pas, pour réduire à rien ce qui est, afin qu'aucune chair n'aille se glorifier devant Dieu. Car c'est par Lui que vous êtes dans le Christ Jésus qui est devenu pour nous sagesse venant de Dieu, justice, sanctification et Rédemption, afin que, comme il est écrit, celui qui se glorifie, qu'il se glorifie dans le Seigneur.

Accepter dans sa vie la mentalité de Jésus Christ nous met souvent en marge! Saint Paul a su le montrer aux Corinthiens, ces gens tout simples vivant dans un port de mer, afin de faire saisir que souvent, devant notre intelligence, Jésus prendra des moyens bien à Lui pour nous mettre en route! C'est le risque de la foi qui amène pourtant tant d'équilibre au fond de l'être!

Chers amis, cette Parole je trouve qu'elle est belle à la suite de ce témoignage du docteur Nathalie Beaudet. Je réécoutais ce témoignage et je le revoyais, et je me trouve vraiment bouche bée en écoutant une personne qui est athée et qui passe à la lumière. Ça me bouleverse, parce que c'est Dieu qui agit dans le cœur de cette personne-là! Elle en témoigne tellement bien que c'est bouleversant!

Quand saint Paul s'adressait aux Corinthiens, qui étaient des gens travaillant dans un port de mer, des débardeurs finalement, qui n'avaient pas de grande instruction, qui ne savaient pas parler avec des grands mots, quand saint Paul dit: «C'est justement vous autres les clients de Dieu.» J'écoutais parler docteur Nathalie et je me disais: «Elle est psychiatre, elle a fait de grandes études, elle avait sa tête et son cerveau tout remplis, et voilà que le Seigneur l'a rendue comme un petit enfant ou quelqu'un qui n'a presque pas de connaissances, parce que l'expérience est passée de la tête au cœur.» Elle le disait elle-même, là c'est très petit pour comprendre le mystère de Dieu, le cœur ne le comprend pas plus mais y adhère d'avantage. Quand elle a parlé de cette comparaison de la fourmi, que pour comprendre vraiment ce que c'était, on devrait se faire fourmi. Jésus c'est ce qui a fait; dans saint Paul aux Philippiens, on le lit: «Il s'est anéanti, prenant la condition d'humain et d'esclave, devenant semblable aux hommes.» Philippiens, chapitre 2: «S'étant comporté comme un homme, il s'humilia, obéissant jusqu'à la mort et à la mort de la croix.»

Jésus s'est humilié, s'est dépouillé pour devenir l'un des nôtres, pour vraiment nous faire comprendre et saisir qu'est-ce que c'était de vivre en humain pour qu'à notre tour, nous puissions comprendre ce que c'est que d'être divin. Jésus vient nous dire: «Je prends l'initiative, je fais ce tour de force dans ta vie, peu importe qui tu es, peu importe si tu as douté, peu importe si tu as des questions ou des doutes dans ton cœur, je prends l'initiative d'ouvrir la porte si tu m'en donnes la permission.»

Frères et sœurs, si dans votre cœur, actuellement, au moment où on se parle, où on se partage cette Parole si importante, vous avez des doutes, vous ne raisonnez qu'avec votre tête, prenez le risque de dire «Oui», un «Oui» d'amour à Dieu pour qu'Il ouvre la porte et vous fasse faire l'expérience, telle que nous l'a racontée docteur Nathalie Beaudet. Elle qui raisonnait tout ce qu'elle voyait, elle qui n'acceptait comme vrai que tout ce qu'elle comprenait, comme beaucoup d'entre nous d'ailleurs, et c'est très probable dans une civilisation où tout est technique, tout est physique, tout est démontrable, tout est calculable. Elle a dit un jour: «Il y a quelque chose qui s'est passé, il y a quelque chose de plus qui m'a projetée en avant et qui m'a fait dire "Oui" à l'amour!» C'est ça, la Parole d'aujourd'hui.

Dieu veut aller au-delà même de notre intelligence, Dieu veut prendre nos objections et Dieu veut nous dire: «Si tu savais le don de Dieu. Sais-tu qui est celui qui te parle? Tu lui dirais: "J'ouvre la porte, viens, Seigneur, viens dîner avec moi, viens me faire connaître cette tendresse et cette communion à Toi".» C'est un petit peu ça qui nous est proposé aujourd'hui à travers cette Parole toute simple. Jésus qui vient nous dire: «Tu sais, l'amour, ça ne se comprend pas.» Saint Jean de la Croix définissait l'amour comme ceci: «L'amour est un je ne sais quoi, qui vous entre par je ne sais où et qui vous transforme je ne sais comment.» Ce n'est pas précis, c'est l'amour. Jésus vient nous faire saisir: «Si tu veux vivre de l'amour, laisse tes catégories, laisse tes jugements, laisse tes doutes, doute de tes doutes et crois ta foi.» C'est un petit peu ça qui nous est proposé.

Je le demande avec vous à la fin de cette réflexion pour qu'on ouvre notre cœur et qu'on prenne le risque de dire à Jésus:

Habite chez moi, Seigneur, ta Parole est bouleversante, elle est dérangeante, Ta Parole nous dit: «Jette-toi avec confiance dans mes bras, je ne peux pas te tromper.» Seigneur, parce que Tu es ce que Tu es, je veux risquer sur Ta Parole et Te dire «Oui».

Amen.

Abbé Jean Ravary

Émission du 25 octobre 1998 Marc 10: 13-16

Jésus bénit les petits enfants

On lui présentait des petits enfants pour qu'il les touchât, mais les disciples les rabrouèrent. Ce que voyant, Jésus se fâcha et leur dit: «Laissez les petits enfants venir à moi; ne les empêchez pas, car c'est à leurs pareils qu'appartient le Royaume de Dieu. En vérité, je vous le dis: quiconque n'accueille pas le Royaume de Dieu en petit enfant, n'y entrera pas.» Puis il les embrassa et les bénit en leur imposant les mains.

Jésus nous appelle à retrouver la simplicité de l'enfant, mais, plus encore, il nous redit la gratuité de l'amour du Père. Dieu ne nous aime pas à cause de nos mérites ou de toutes nos bonnes œuvres, il nous aime tout simplement parce que nous sommes, pour Lui, les êtres les plus précieux du monde. Voyez ce qu'un père ou une mère peut faire pour son trésor; combien plus le Père qui est l'Amour.

Jean: Cette belle Parole n'est pas en Luc mais en Marc, mais quoique Luc a une Parole semblable. Elle te rejoint comment cette Parole-là?

Robert: C'est peut-être la dernière partie qui me rejoint le plus, quand on prend conscience qu'on est l'être le plus précieux pour Dieu. On prend conscience que pour Lui on est un trésor, on est son enfant, un être unique au monde. Pour moi, c'est très important, je célébrais des baptêmes juste avant, tout à l'heure, c'est ce que je disais aux parents: «L'enfant que vous portez dans vos bras, c'est l'être le plus précieux du monde pour vous! Mais aussi il est l'être le plus précieux pour Dieu.» J'ai pris conscience de ça assez tôt dans ma vie, pour moi, Dieu ça toujours été simple. Quand j'ai commencé mon grand séminaire, j'ai souffert beaucoup du fait qu'on compliquait Dieu. Pour moi, ça n'avait pas de sens qu'on complique Dieu à ce point-là. Pour moi, c'était tellement simple d'être en relation avec quelqu'un qui m'aimait, on m'avait toujours parlé d'un Dieu qui m'aimait, donc pour moi, c'était facile cette relation-là. Un peu plus tard, dans notre grand séminaire, on a évolué dans notre formation et est arrivé le cours de spiritualité avec Thérèse de l'Enfant Jésus. Je lisais tout ça et je me rendais compte qu'il y avait beaucoup de phrases de Thérèse de l'Enfant Jésus que j'aurais pu écrire, je me retrouvais dans cette façon-là!

Jean: Tu avais toujours le don de dédramatiser, on parle de ton ministère qui est abondant, c'est normal et tout simple pour toi. C'est une de tes belles qualités.

Robert: Pour moi, c'est l'abandon qui est important, de se rendre compte que le salut ce n'est pas moi qui l'apporte. Je l'accueille comme tout le monde et j'essaie de faire découvrir aux gens la joie d'être aimé, la joie d'être enfant de Dieu, la joie d'être sauvé, la joie d'être tout simplement accueilli sans condition. Pour moi, c'est très important, et j'ai eu la chance de découvrir ça très tôt. J'écoutais Marc tout à l'heure qui, lui, a découvert ça beaucoup plus tard. À quel moment il a découvert ça? Justement quand il s'est retrouvé complètement démuni. Quand on essaie de prendre prise, de se sauver, de chercher à gagner continuellement, on se rend compte finalement qu'on n'a pas les moyens pour ça. À un moment donné, il faut accepter d'accueillir, c'est la pauvreté du cœur la première béatitude, ça c'est une autre Parole que j'aurais pu choisir, mais pour moi, celle-là elle est tellement importante et elle est au présent. C'est ça que je trouve extraordinaire, «heureux les pauvres de cœur, car le royaume des cieux est à eux», les autres sont dans l'avenir et celui-là est au présent.

Quand on accueille dans la pauvreté, dans l'abandon, dans la confiance totale, on est déjà dans le Royaume de Dieu, on vit déjà de cette joie-là d'être dans l'amour du Père. C'est très important dans mon ministère d'avoir cette pauvreté-là, cet abandon-là, parce que ça dépasse tout ça. Quand on parle de 48 000 personnes, 17 000 familles, c'est énorme, c'est impossible pour moi.

Jean: Les jeunes qui n'ont pas une bonne relation avec un père qui les aime, trouves-tu ça exigeant de leur faire comprendre ce que tu viens de nous dire?

Robert: A ce moment-là, je passe par la mère. Dieu peut être une mère ou un père; d'ailleurs, Il utilise l'image de la mère également. Aujourd'hui, encore aux baptêmes, il y avait des pères qui n'étaient pas là. Il faut parler aussi d'un Dieu source d'amour et prendre l'image du père ou de la mère, pour Lui sûrement qui ne s'offusque pas du tout, Il n'est pas sexiste. Moi, J'ai eu la chance d'avoir un père qui m'aimait, une mère aussi qui m'aimait beaucoup et qui m'aime encore parce que j'ai la chance de les avoir encore, et pour moi, ç'a été sûrement un chemin qui m'a aidé à découvrir l'amour de Dieu, à travers l'amour de mes parents, donc j'ai eu la chance d'avoir ça.

Jean: Toi, ton sacerdoce, c'est l'occasion de faire comprendre cet amour-là aux gens?

Robert: Oui, la découverte que j'ai eu de l'amour de Dieu et le désir de faire découvrir ça à tout le monde. C'est une joie immense de se savoir aimé. C'est extraordinaire, c'est une bonne nouvelle de savoir que je n'ai pas à chercher l'amour de Dieu, je n'ai pas à le gagner cet amour-là, il est gratuit, c'est extraordinaire! On est sauvé, c'est déjà là, c'est du déjà ça. Tout ce que j'ai à faire de ma vie, c'est de répondre à cet amour-là et quand j'aime, quand je fais du bien, quand je pose des gestes d'amour, ce n'est pas pour que Dieu m'aime, c'est pour répondre à son amour. Je cherche à aimer Dieu, je cherche à lui montrer que je l'aime. Il a dit: «Vous voulez aimer, bien aimez le plus petit.»

Jean: Tu dois avoir aussi le don de simplifier la Parole de Dieu pour les gens? Ils doivent te dire ça souvent.

Robert: Oui, moi je dis toujours, pourquoi faire compliqué quand on peut faire simple! Ma famille du Lac Saint-Jean doit trouver ça drôle, parce que c'est une expression au Lac Saint-Jean qui est un peu négative quand on dit que quelqu'un fait simple, c'est qu'il fait dur un peu, il fait pitié. Pourquoi faire compliqué quand tout est si simple!

Jean: J'aimerais, Robert, dans les quelques secondes qui nous restent, que tu offres à Dieu tous les gens que tu rencontres et aussi ce désir d'être des enfants devant Lui, dans une prière.

Robert:

Seigneur, nous avons tous une place dans Ton cœur et pour Toi, nous sommes Ton trésor le plus précieux. J'aimerais que ceux qui ne savent pas qu'ils sont aimés, puissent être touchés par Ton amour. Tu m'as donné la chance d'avoir des gens qui m'aiment autour de moi, certaines personnes n'ont pas eu cette chance. Seigneur, touche les gens qui entourent ces personnes qui sont mal aimées afin qu'elles puissent devenir signes de Ton amour.

Jean:

Amen.

Merci Robert.

Robert: Merci Jean.

Robert Allard, vicaire
Abbé Jean Ravary

Émission
du 1er novembre 1998
Mt 5: 11-16, 47

Vous êtes le sel de la terre

Heureux êtes-vous quand on vous insultera, qu'on vous persécutera, et qu'on dira faussement contre vous toutes sortes d'infamies à cause de moi. Soyez dans la joie et l'allégresse, car votre récompense sera grande dans les cieux: c'est bien ainsi qu'on a persécuté les prophètes, vos devanciers. «Vous êtes le sel de la terre. Mais si le sel vient à s'affadir, avec quoi le salera-t-on? Il n'est plus bon à rien qu'à être jeté dehors et foulé aux pieds par les gens.» Vous êtes la lumière du monde. Une ville ne se peut cacher, qui est sise au sommet d'un mont. Et l'on n'allume pas une lampe pour la mettre sous le boisseau, mais bien sur le lampadaire, où elle brille pour tous ceux qui sont dans la maison. Ainsi votre lumière doit-elle briller devant les hommes afin qu'ils voient vos bonnes œuvres et glorifient votre Père qui est dans les cieux.

Et si vous réservez vos saluts à vos frères, que faites-vous d'extraordinaire? Les païens eux-mêmes n'en font-ils pas autant?

Dans son Évangile, Jésus ne nous propose rien de moins que le défi de la sainteté! Défi proposé à chacun sans exception. Notre Dieu ne veut pas que nous baissions la tête et que nous endurions dans la colonne vertébrale! Non! Il nous demande d'être conscient de notre valeur mais surtout de l'action de son Esprit saint dans nos cheminements!

J'aurais le goût de vous souhaiter à tous, bonne fête, en cette journée de la Toussaint, la fête de tous les saints. Vous allez me dire: «Je ne suis pas un saint, je ne suis pas une sainte, je n'ai même pas le goût de l'être parce que je n'ai pas le goût d'avoir une statue à mon effigie dans une église.» Être un saint, ce n'est pas ça, c'est de prendre au sérieux le message que le Christ nous donne à vivre dans notre quotidien. On se fait de fausses images de la sainteté, et souvent on pense que d'être saint selon le projet de Dieu, c'est faire des choses pour Dieu, alors qu'essentiellement, c'est d'accepter que Dieu fasse quelque chose de moi et en moi.

La sainteté, c'est d'être capable de laisser passer la Lumière à travers nous. Un jour, dans une école, quelqu'un avait demandé aux enfants de la classe: «C'est quoi, les saints?» Et le petit garçon de troisième année, se souvenant qu'à l'église il y avait des vitraux avec des figures et des images de saints dessus et qui voyait que le soleil passait à travers ces vitraux, a répondu cette phrase extraordinaire: «Un saint, c'est celui qui laisse passer la lumière.» Vous voyez, lui il pensait aux vitraux, mais c'était une parole très profonde de sagesse que ce petit venait de donner: être capable de laisser passer la Lumière.

La liturgie fait qu'au 1er novembre, l'on célèbre tous les saints. Tous les saints pour qu'on soit capable de dire: «Je veux être à la suite de Jésus, celui qui laisse passer la Lumière.» Le Seigneur nous dit: «Soyez le sel de la terre.» Le sel a de la saveur, le sel se conserve et être sel de la terre veut dire: «Conserve dans ton cœur l'alliance que Dieu y a déposée.» Le Seigneur nous dit: «Soyez lumière de monde.» Une lumière, c'est fait pour éclairer et, comme dit Jésus, c'est très évident, on ne prend pas une lumière pour la mettre en-dessous de la table, on l'a met sur un lampadaire pour que, dit-il, elle éclaire tous ceux qui sont dans la maison pour que les hommes s'émerveillent de vos bonnes œuvres.

Je viens d'écouter avec vous le témoignage de Jeanne-Mance et de Mario et je me dis: «À leur façon, ils laissent passer la lumière de la vérité, de l'enthousiasme, de la joie et de la foi.» Ce que le Seigneur nous demande, ce n'est pas de faire des choses extraordinaires, mais c'est toujours de faire de façon extraordinaire les choses ordinaires. C'est un peu la définition de la sainteté que donnait Sainte Thérèse de l'Enfant Jésus. Elle disait: «Ne serait-ce que de faire des petites choses banales du quotidien, si on est capable de les faire avec un cœur centré sur Dieu, on a atteint le but.»

Bonne fête à tout le monde, et je souhaite que cette puissance de la lumière de Dieu agisse en nous. Soyez sel de la terre, soyez lumière du monde et je le demande avec vous dans la prière maintenant.

Seigneur, Tu nous proposes un projet qui semble-t-il, est compliqué, mais dans le fond, c'est simple. Tu nous demandes d'être ce qu'on a à être, là où nous sommes, et la fête d'aujourd'hui nous le rappelle. Seigneur, fais de nous des saints, fais de nous des êtres à l'écoute de Ta volonté, fais de nous des êtres capables de laisser Ta Lumière pour les autres.

Amen.

Abbé Jean Ravary

Émission
du 8 novembre 1998
Marc 13: 5-6, 21-23

Attention! Car de faux messies et de faux prophètes apparaîtront...

Alors Jésus se mit à leur dire: «Prenez garde qu'on ne vous abuse. Il en viendra beaucoup sous mon nom, qui diront: "C'est moi", et ils abuseront bien des gens. [...] «Alors si quelqu'un vous dit: "Voici: le Christ est ici!", "Voici: il est là!", n'en croyez rien. Il surgira, en effet, des faux Christs et des faux prophètes qui opéreront des signes et des prodiges pour abuser, s'il était possible, les élus. Pour vous, soyez en garde: je vous ai prévenus de tout.»

Comme Jésus savait d'avance tout ce qui arriverait dans notre monde moderne. Ce texte colle parfaitement à notre époque actuelle. De nouveaux gourous se lèvent par centaines, des faux prophètes, des supposés «guérisseurs», des gens qui nous prédisent une fin du monde imminente. Pourtant, le Seigneur nous avait prévenu de tout cela... mais malheureusement, certains préfèrent croire tous les nouveaux faux prophètes au lieu de croire en Celui qui est le Chemin, la Vérité et la Vie.

Bonjour à chacun de vous, si vous saviez comme ce texte me rejoint parce que ceux qui ont déjà entendu mon témoignage, savent que moi aussi, j'ai été pris dans la griffe du Malin, dans toutes ces choses qu'on nomme maintenant les sciences occultes, l'ésotérisme, et quand j'ai choisi ce texte, je me disais: «Mon Dieu, que le Seigneur avait donc raison, Il savait ce qu'on vivrait dans l'époque actuelle de l'an 2000.» Je me suis même pris des petites notes pour vous nommer tout ce qui existe maintenant: qu'on pense aux voyants, aux clairvoyants, aux médiums, aux supposés guérisseurs, aux nouveaux gourous, l'horoscope quotidien, les énergies cosmiques, le pouvoir des pierres et des cristaux, les vies antérieures, les guides, les sectes, etc. On dirait que maintenant, tout ce qui n'est pas catholique ou chrétien est devenu populaire. Il s'agit de dire que ce n'est pas religieux pour que les gens sautent tête première et dépensent beaucoup d'argent pour ces choses-là. Je vous parle en connaissance de cause, j'ai malheureusement trempé dans ce milieu-là.

Quand je pense que Jésus nous avait averti d'avance et qu'on ne comprend pas! J'achète le journal comme tout le monde et, quand je vois des gens parfois au restaurant, au déjeuner, qui la première chose qu'ils vont lire dans le journal, c'est leur horoscope. Je me pose souvent une question: «Pourquoi, à tous les jours, la majorité des journaux ont l'horoscope quotidien? Pourquoi on n'aurait pas aussi La Parole de Dieu à tous les jours dans les journaux?» C'est une grande question que je me pose. J'aimerais qu'à la maison, vous puissiez prier pour ça, pour qu'un jour les grands décideurs donnent de la place à La Parole de Dieu dans les journaux, et ça à tous les jours. Pourquoi l'horoscope aurait la première place? Moi, je vous donnerais, à ceux qui lisent l'horoscope régulièrement, à tous les matins, pour un mois, je vous mets au défi, ne lisez pas l'horoscope, mais prenez La Parole de Dieu, trois ou quatre minutes, ce n'est pas long, et je vous promets que votre vie changera à tous jamais. La Bible est La Parole de Dieu, c'est La Parole de Vérité et ce n'est pas un mensonge, contrairement à toutes ces nouvelles folies qu'on appelle l'ésotérisme et les sciences occultes.

Malheureusement, dans notre monde, on n'ose plus appeler les choses par leur nom. Quand on pense à l'ésotérisme, les sciences occultes, les nouvelles sectes et tout ça, il ne faut pas avoir peur de dire que c'est mené par le père du mensonge. Je sais que je me ferais critiquer en vous parlant du mal et en parlant de Satan, mais, pour moi, il existe, et on n'a qu'à regarder l'état de notre monde actuel pour comprendre qu'il existe vraiment. Quand on regarde tous ce qui ce passe dans l'ésotérisme présentement et beaucoup de médias encouragent ça malheureusement, c'est terrible! Le Pape disait dernièrement que les médias, qu'ils soient écrits, parlés, que ce soit la télévision, la radio ou les journaux, un jour auront à répondre devant Dieu de ce qu'ils laissent passer sur les ondes, ou de ce qu'ils laissent passer dans les journaux ou à la radio. Quand je vois des gens qui sont prêts à payer tout près de cinq dollars la minute pour parler à des astrologues, je trouve ça scandaleux! Il faut dénoncer. Je rêve du jour où nos évêques ou nos prêtres dénonceront ces mensonges affreux! Il faut prier pour qu'un jour, on puisse cesser de se faire mentir sans arrêt.

Je sais que je me ferai critiquer, parce que quand on s'attaque au mal, des fois on en vit les conséquences, malheureusement. Il est temps de dire qu'on se fait abuser, comme le texte nous a dit tantôt, et Jésus nous avait averti d'avance, mais on préfère ne pas le croire malheureusement. Je vous souhaite à tous de vous libérer de ces mensonges parce que ça ne rend pas heureux. Je l'ai vécu; madame Fontaine, avec qui je travaille, l'a vécu également, et c'est quelque chose qui nous amène dans des chemins de mort, on devient esclaves de tous ces gens-là. Moi, ce qui me fait sourire, c'est quand je vois des gens prendre des nouveaux cours, j'ai entendu parler quelqu'un dernièrement qui a décidé d'aller prendre un cours sur son «je profond» et cette personne-là nous critiquait parce qu'on demandait des dons, et le cours pour un mois lui a coûté trois cent dollars! Moi, je ne comprends plus rien! Et je me dis: «Ensemble, on se donne la main pour dire la Vérité telle qu'elle est et je vais le demander au Seigneur avec vous.» J'aimerais que vous fermiez les yeux et que vous baissiez la tête pour prier et demander au Seigneur:

Seigneur Jésus, je Te demande une seule chose, c'est de venir nous libérer de tous ces mensonges. Seigneur, donne-nous la chance de pouvoir continuer à Te proclamer et dénoncer le mensonge. Seigneur, je Te demande de nous protéger également contre les gens du Malin.

Amen.

Sylvain Charron

Émission
du 15 novembre 1998
Jean 15: 4-9, 15

Demeurez unis à moi, comme je suis à vous

Demeurez en moi, comme moi en vous. De même que le sarment ne peut de lui-même porter du fruit s'il ne demeure pas sur la vigne, ainsi vous non plus, si vous ne demeurez pas en moi. Je suis la vigne; vous, les sarments. Celui qui demeure en moi, et moi en lui, celui-là porte beaucoup de fruits; car hors de moi vous ne pouvez rien faire. Si quelqu'un ne demeure pas en moi, il est jeté dehors comme le sarment et il se dessèche; on les ramasse et on les jette au feu et ils brûlent. Si vous demeurez en moi et que mes paroles demeurent en vous, demandez ce que vous voudrez, et vous l'aurez. C'est la gloire de mon Père que vous portiez beaucoup de fruits et deveniez mes disciples. Comme le Père m'a aimé, moi aussi je vous ai aimés. Demeurez en mon amour.

Je ne vous appelle plus serviteurs, car le serviteur ne sait pas ce que fait son maître; mais je vous appelle amis, parce que tout ce que j'ai entendu de mon Père, je vous l'ai fait connaître.

Juste avant de mourir, le soir du dernier Repas, Jésus parle de son intimité avec son Père et le siens! Il nous dit à chacun que nous sommes objets de son Amour et que son Amitié vient changer la couleur de nos rapports entre nous! Il nous fait entrer dans la secret de son cœur pour nous faire vivre l'expérience de sa tendresse!

C'est cela entrer dans le cœur de Jésus. À l'approche de l'an 2000, je remarque une chose, beaucoup de gourous, de maîtres se présentent avec des solutions miracles pour notre cœur. Très souvent, on se demande: «Mais qu'est-ce qu'ils ont à nous dire, qui sont-ils ces gens-là?» On le sait rarement, rarement ils nous font entrer dans leur intimité. Jésus, à la veille de mourir (chapitre 14-17 de saint Jean) nous ouvre pratiquement son cœur comme un sanctuaire et nous dit: «Entrez.» Il y a tellement de tendresse dans la Parole qui nous est donnée, tellement de paix et de communion dans cette Parole. Jésus parlait avec des mots tout simples, Il nous dit d'abord: «Demeurez.» Le verbe demeurer dans l'Évangile de saint Jean n'est pas quelque chose d'ordinaire, ce n'est pas comme «je demeure à telle adresse», demeurer c'est: «Installe-toi, prend racine dans mon cœur, demeure dans mon amour, prend racine dans mon amour, réalise que l'amour que je te porte est actif, réalise qu'il est là dans ton présent et qu'il est garanti pour ton futur.» C'est ça, le sens de demeurer.

Jésus parlait avec des images toute simples, Il dit: «De la même manière que la branche qui n'est pas sur le sceptre, on la coupe parce qu'elle se dessèche; ainsi vous, si vous ne demeurez pas en Moi, vous allez vous assécher, vous n'êtes plus bons à rien parce que sans Moi vous ne pouvez rien faire.» C'est tellement grand d'entendre Jésus nous dire: «Le projet que j'ai pour chacun de vous, c'est de rester ancré sur Moi, attaché à Moi, de rester greffé à Moi, demeurer.» Et là, Jésus nous dit cette chose étonnante: «Si tu entres dans mon cœur, si tu acceptes de demeurer dans mon cœur, tu deviendras non plus un serviteur, ou quelqu'un d'anonyme pour moi, tu deviendras un ami.» L'amitié, c'est important!

On en parlait avec Hélène tantôt, on est des amis au bureau. On travaille ensemble, on n'est pas juste des relations de travail, on est des amis, on partage ce qu'on vit, on est capable d'ouvrir notre cœur. Quand on a un ami, on s'assoit avec lui ou avec elle, on parle, on le fait entrer dans notre intérieur, dans notre intimité, on communie avec ce qu'il y a de beau et de grand en nous, avec ce qu'il y a de souffrant en elle ou en lui. C'est ça l'amitié, et quand Jésus nous dit: «Je ne vous appelle plus serviteur parce que le serviteur ignore ce que veut faire le maître, je vous appelle des amis.» Comme c'est grand! Comme ça m'impressionne de voir jusqu'où Jésus veut aller avec nous!

On achève bientôt cette année 1998, ça va tellement vite! Demandons-nous si durant cette année qui nous achemine vers l'an 2000, qui s'en vient quand même assez vite, on a pris le temps de demeurer dans le cœur de Jésus. Est-ce qu'on a pris le temps de Le fréquenter? Est-ce qu'on a pris le temps de prendre au sérieux Sa Parole? J'entendais une interview à la radio l'autre jour de Monsieur Claude Ryan qui disait: «Le drame avec les chrétiens c'est qu'on a toujours pensé qu'être Chrétiens, c'était faire des choses alors que c'est d'exister d'abord en fonction de l'Évangile. C'est non pas faire pour les autres mais de se laisser travailler le cœur. C'est non pas de dire des paroles mais être là comme témoin.» Être là comme témoin, c'est ça demeurer! Je le demande au Seigneur avec vous.

Béni sois-tu, Seigneur, Toi qui es tendresse et amour. Béni sois-tu, Toi qui veux qu'on demeure en Toi. Béni sois-tu, parce qu'on sait que sans Toi rien n'est possible. Seigneur, touche dans Ta libération et dans Ta paix les personnes qui actuellement écoutent et qui se disent: «Comme je suis loin!» Et Toi, Seigneur, Tu tends la main et Tu nous dis: «Non, tu n'es pas loin, parce que je t'aime, parce que tu as place dans mon cœur.» Seigneur, fait qu'on croie à cette Parole et qu'on en vive profondément.

Amen.

Abbé Jean Ravary

Émission
du 22 novembre 1998
Luc 15: 1-7

La parabole de la brebis perdue

Cependant tous les publicains et les pécheurs s'approchaient de lui pour l'entendre. Et les Pharisiens et les scribes de murmurer: «Cet homme, disaient-ils, fait bon accueil aux pécheurs et mange avec eux!» Il leur dit alors cette parabole: «Lequel d'entre vous, s'il a cent brebis et vient à en perdre une, n'abandonne les quatre-vingt-dix-neuf autres dans le désert pour s'en aller après celle qui est perdue, jusqu'à ce qu'il l'ait retrouvée? Et, quand il l'a retrouvée, il la met, tout joyeux, sur ses épaules et, de retour chez lui, il assemble amis et voisins et leur dit: «Réjouissez-vous avec moi, car je l'ai retrouvée, ma brebis qui était perdue!» C'est ainsi, je vous le dis, qu'il y aura plus de joie dans le ciel pour un seul pécheur qui se repent que pour quatre-vingt-dix-neuf justes, qui n'ont pas besoin de repentir.

«Jésus est quelqu'un qui a fait de bonnes nouvelles, il a fait arriver de bonnes nouvelles pour de petites gens. La bonne nouvelle pour un malade, c'est qu'il guérisse. La bonne nouvelle pour quelqu'un qui n'a pas de droits, c'est qu'il les retrouve. La bonne nouvelle pour quelqu'un qui est méprisé par les autres, c'est de rencontrer quelqu'un pour qui il compte. C'est une bonne nouvelle très concrète, très simple pour des gens qui étaient en difficulté. Dieu n'a que nous, sous le souffle du Christ, pour se révéler au monde puisque nous sommes la Bonne Nouvelle qui s'écrit et se lit encore aujourd'hui.»

Donald Thompson, prêtre

Jean: Donald, j'ai l'impression que cette Parole-là, je la reçois d'une façon toute neuve parce que tu m'as parlé tantôt de ton expérience de rejet de ton père. Tu me parles de l'expérience de rejet de tes gars en prison, et c'est comme si j'avais porté attention à la joie qu'a Dieu de retrouver les rejetés. Je trouve ça tellement beau, et ça me rejoint d'une façon toute neuve. Ce commentaire, c'est un peu dans ce sens-là que tu as voulu prendre cette Parole-là?

Donald: Moi, ce qui m'a toujours frappé, tu vois ici dans le texte, tu as les docteurs de la loi, ceux qui connaissent la religion. Ils s'offusquent de voir Jésus qui se tient avec les pécheurs, c'est à dire ceux qu'on n'aimait pas trop à l'époque, les *bums* du temps, ceux qui ne respectent pas le code, qui «sautent la coche» comme on dit aujourd'hui. Jésus prend dans l'expérience très concrète, une parabole, une comparaison pour dire quelque chose de Dieu à travers ça. La comparaison qu'Il voit, Il voit que le monde, les bergers finalement, vont laisser les animaux-là, la majeure partie de leur troupeau pour aller chercher la brebis qui est perdue. Quand Jésus prend une Parabole, c'est parce qu'Il a posé des gestes avant, avant d'être un enseignant, Jésus est un faiseur de bonne nouvelle concrète. Il a passé en faisant le bien; pour Lui, il entrait quelqu'un sur son chemin, Il l'aidait, et là on ne le comprenait pas, et il prenait des Paraboles pour s'expliquer. Aujourd'hui, il y en a une très bonne, Il prend une Parabole prise dans la vie et dit: «Pourtant, c'est des animaux, et le berger laisse la majorité de son troupeau pour aller chercher une brebis égarée, et moi vous me reprochez de faire du bien à du pauvre monde, quelle sorte de religion que c'est ça?»

Alors moi, en prison, des fois on dit: «Donald, toi tu ne devrais pas être en prison; tu as juste deux cent hommes à Sherbrooke, avec la gueule que tu as, tu devrais être ailleurs pour parler à beaucoup de monde!» Je leur dis que je suis fier aujourd'hui d'être là! Ils ne comprennent pas, il me semble qu'il n'y a rien à faire avec ces gars-là! Mais oui, il y a des enfants de Dieu qui sont là! Il y a des enfants de Dieu qui sont à leur manière blessés par la vie et qui en blessent d'autres bien sûr, je ne suis pas là pour justifier les délits, pour les rendre justes. Je suis là tout simplement pour faire le bien.

Tu sais, Jean, moi j'ai appris une chose dans ma vie de prêtre. Un jour, j'étais dans une cellule, j'ai osé dire à un détenu: «Dieu t'aime», il m'a regardé et il s'est levé de son lit de cellule et a dit: «Toi, tu m'aimes-tu?» Je n'ai jamais redit à quelqu'un: «Dieu t'aime»; je me suis dit qu'il va le savoir par ma proximité, par mon regard, la main tendue pour l'aider dans une cause précise, lui faire reconnaître ses droits.

Jean: C'est très évangélique, quand Jésus dit que ce ne sont pas juste ceux qui disent: «Seigneur, Seigneur», qui ont de belles paroles, mais ce sont ceux qui font la volonté, et ça nous fait saisir cette dimension-là, parce que je t'écoutais parler et je me disais comme ça doit être impressionnant quand tu fais jaillir la Lumière dans le cœur d'un gars qui se sent rejeté de tout le monde?

Donald: Tu vois, l'autre jour, un jeune homme de vingt-sept ans qui me confie qu'il a un problème de pédophilie, il a commis des délits affreux, difficiles à entendre et un problème de bestialité, tu peux t'imaginer? Moi, sur le plan humain, spontanément je serais porté à dire: «Je ne suis pas capable d'entendre ça, je ne veux pas entendre ça, ce gars-là, je le tasse! Je ne suis pas capable!» Là, mes préjugés ressortent et je me disais: «Donald, n'oublie pas que tu es pasteur, tu dois avoir le regard de Jésus pour regarder cet homme-là.» Et à un moment donné, il me dit qu'il aimerait se confesser et commence sa confession en me disant: «Seigneur, délivre-moi de ma pédophilie, délivre-moi de ce problème, je ne me comprends pas!» Je l'écoutais et j'avais lu son dossier avant, j'avais vu que très jeune il avait été maltraité, il a gardé des tics de ça, et aujourd'hui, il ne se comprend pas en dedans de lui-même. Qui suis-je pour juger cet homme-là? Moi, je suis là pour lui par exemple: «Au nom de Jésus tu as de la valeur mon bonhomme, tu n'es pas réduit à ça, tu es plus grand que ça, on va essayer de regarder ça, aller chercher l'enfant blessé qui est en toi, qui a besoin qu'on le flatte, qui a besoin qu'on l'accueille, qu'on le reconnaisse.» L'autre jour, je faisais une expérience spirituelle avec eux et je disais ce qu'on dit souvent: «Tu n'es pas un cadeau. On t'a dit souvent que tu n'étais pas un cadeau.» Et là, j'ai dit: «Écoute-moi bien: tu es un cadeau, comment te sens-tu?» Il est venu les larmes aux yeux, le sourire est apparu même à travers sa détresse, je le touchais et je lui disais: «Tu es un cadeau». Tu imagines, Jean, pour moi c'est ça les bonnes nouvelles. Ce n'est pas la révolution ultime, c'est concret!

Jean: C'est de l'Évangile. Tes gars en prison au fond, moi je pense à tout le monde qui ne sont pas en prison, mais qui sont peut-être plus que tes gars en prison finalement.

Donald: Il y a plein de prisonniers dehors sur le trottoir, je rencontre plein de gens pris dans leur prison intérieure.

Jean: Ce qui est beau, c'est de se dire que la bonne nouvelle c'est pour eux aussi?

Donald: Oui.

Jean: C'est pour ça qu'on va prier tantôt. Je te remercie Donald, ça été *le fun* de te recevoir.

Donald: Merci, Jean.

Abbé Donald Thompson
Abbé Jean Ravary

Émission
du 29 novembre 1998
1 Rois 19: 19-21

Le Petit Reste

Élie partit de là, et il trouva Élisée, fils de Schaphath, qui labourait. Il y avait devant lui douze paires de bœufs, et il était avec la douzième. Élie s'approcha de lui, et il jeta sur lui son manteau. Élisée, quittant ses bœufs, courut après Élie, et dit: «Laisse-moi embrasser mon père et ma mère, et je te suivrai.» Élie lui répondit: «Va, et reviens; car pense à ce que je t'ai fait.» Après s'être éloigné d'Élie, il revint prendre une paire de bœufs, qu'il offrit en sacrifice; avec l'attelage des bœufs, il fit cuire leur chair, et la donna à manger au peuple. Puis il se leva, suivit Élie, et fut à son service.

Dieu nous rejoint sur notre terrain. Il nous appelle de toutes sortes de façon. Devant l'appel, il y a souvent des hésitations, mais la personne a une réponse à donner dans la générosité.

Je suis tellement impressionné de traiter ce thème du petit reste, alors qu'on vient de recevoir Chantal qui nous parle des plus pauvres au Pérou. Il me semble que La Parole de Dieu vient nous donner un éclairage direct sur le témoignage qu'elle vient de nous donner. Vous savez, nous commençons une nouvelle année liturgique avec le temps de l'Avent. Je pourrais vous dire Bonne Année liturgique parce que les quatre semaines qui précèdent Noël, c'est la nouvelle année liturgique.

Durant le temps de l'Avent, on lit beaucoup le prophète Isaïe. Isaïe, c'est le prophète qui a parlé alors que tous les autres prophètes avaient parlé aussi, pour que le peuple se convertisse. Mais le peuple est un petit peu comme nous très souvent, il avait beau entendre, il détournait ses oreille de la vérité, faisait à sa tête et n'écoutait pas. C'est pourquoi Isaïe traite du terme du petit reste, il dit: «Alors ça ne sera pas la multitude d'abord qui va comprendre.» Une petite poignée de pauvres, on les appelait les pauvres de Dieu, vont saisir l'essentiel. C'est un petit peu ce que Chantal nous a dit tantôt, c'est tellement beau! Et ce thème disait: «Au milieu de ce reste, de cette toute petite poignée de gens va surgir le Messie. Un rejeton va resurgir, lui il ne jugera pas selon l'apparence, lui il n'écrasera pas, mais il sera là dans sa miséricorde et dans son amour.» Voilà un peu le thème de l'Avent, voilà un peu le thème du Messie.

Vous savez, on a cherché un Messie vengeur, un Messie qui venait avec le fouet pour écraser les autres, et on a vu Jésus miséricordieux qui imposait la main aux malades, aux petits enfants, qui accueillait les pauvres, exactement ce que Chantal a vu au Pérou où elle a travaillé. C'est un Messie un peu bouleversant et c'est en même temps le Messie qui a accroché son cœur et qui est venu nous dire: «C'est ça l'Évangile, ce n'est pas juste des mots, ce n'est pas juste des grandes idées, ce n'est pas juste des belles phrases, c'est dans le concret de la vie.» C'est tellement beau!

La phrase de la lettre aux Corinthiens qui dit: «Nous sommes pauvres, mais Jésus dans sa pauvreté va nous enrichir.» C'est un peu ce qu'elle a compris à travers ces gens de là-bas. C'est un peu ce qu'on peut comprendre à l'occasion de Noël où l'on va nous tendre la main pour les pauvres, pour les démunis, pour les paniers de Noël, pour les soirées paroissiales et un tas de choses comme ça, on est invité à comprendre que Jésus veut faire partie de notre quotidien. Souvent, on parle de notre quotidien, on parle de notre vie de tous les jours, surtout dans le temps des Fêtes, on est tellement pressé, il me semble qu'Il n'est pas là et pourtant, à travers tous ces petits gestes, ces petites préoccupations de l'autre, dans un cadeau à acheter et à emballer, dans un repas à préparer, dans un réveillon pour les pauvres à préparer et à servir, c'est Jésus qui vient nous dire: «Et voilà, le petit reste est là, je m'en viens vous dire: comprenez de quel amour je vous aime et comprenez de quelle richesse je vous enrichis par ma propre pauvreté.»

Frères et sœurs, on a compris, et Chantal nous l'a bien dit tantôt, ce n'est pas dans la richesse et le matériel seulement qu'on saisit l'essentiel. J'ai l'impression qu'il y a beaucoup de gens qui vont nous donner des leçons à l'occasion du temps des Fêtes qui vient, restons attentifs. Je demande au Seigneur que nous soyons capables d'annoncer la Bonne Nouvelle à travers ce que nous sommes:

Seigneur, merci, merci d'être ce Dieu qui nous fait signe, merci d'être ce Dieu qui nous tend la main, merci d'être ce Dieu qui nous dit: «Tu sais, la première condition pour accueillir mon message, c'est que tu te fasses pauvre toi-même.» Donne-nous cette pauvreté du cœur, Seigneur, donne-nous la joie de savoir que nous T'appartenons et prépare en nous ce temps des Fêtes avec un cœur à l'écoute de ceux qui ont besoin.

Amen.

Abbé Jean Ravary

Émission
du 6 décembre 1998
Jean 3: 16-19

Jésus veut naître dans notre cœur

Car Dieu a tant aimé le monde qu'il a donné son Fils unique, afin que quiconque croit en lui ne se perde pas, mais ait la vie éternelle. Car Dieu n'a pas envoyé son Fils dans le monde pour juger le monde, mais pour que le monde soit sauvé par lui. Qui croit en lui n'est pas jugé; qui ne croit pas est déjà jugé, parce qu'il n'a pas cru au Nom du Fils unique de Dieu. Et tel est le jugement: la lumière est venue dans le monde et les hommes ont mieux aimé les ténèbres que la lumière, car leurs œuvres étaient mauvaises.

En cette période qui nous prépare à Noël, prenons conscience que la lumière est venue pour chacun de nous. Puissions nous réaliser que Jésus, veut naître dans notre cœur… Il veut y faire Sa demeure. Lui qui est né dans la pauvreté, Il veut établir Sa maison dans notre cœur, si pauvre soit-il. Il n'est pas venu pour nous juger, mais bien pour nous prendre par la main, là ou nous sommes et nous faire avancer avec Lui sur la route de la Vraie Liberté des enfants de Dieu.

Bonjour à chacun de vous, je dois vous dire que ce texte où le Seigneur nous dit: «Dieu en effet a tellement aimé le monde qu'il a donné son fils unique», parfois, c'est vrai qu'on l'entend souvent dans une année, mais aujourd'hui j'aimerais ça que chacun puisse la prendre comme une parole actuelle, comme si le Seigneur nous disait ça aujourd'hui pour chacun et chacune d'entre nous. Je prends conscience souvent que vous êtes des milliers de personnes à écouter à la maison, et dites-vous que si vous aviez été seule sur la terre, le Seigneur serait quand même mort sur une croix pour vous. Parce que vous êtes unique pour Lui et c'est très important. Prendre conscience que le Seigneur nous a tout donné. Souvent, on n'en prend pas conscience, et à cette approche de Noël, comme Jean le disait, on va parler beaucoup de lumière, on va voir les maisons décorées de partout. Comment faire, à cette approche de Noël, pour chacun dans nos vies, nous qui avons la chance d'être chrétiens, la chance d'avoir connu Jésus dans notre vie, qu'est-ce qu'on pourrait faire pour être lumière pour les autres? Parce que le Seigneur a besoin de chacun et de chacune d'entre nous. Parce qu'il ne faut pas juste dire des belles paroles, mais il faut aussi agir.

Moi, je prends souvent conscience, depuis quelques années, comme ce n'est pas facile d'être chrétien. Jésus ne nous a jamais promis que ça serait facile. Je pense à des gens parfois qui nous tendent la main, on va en voir de plus en plus dans le temps des Fêtes, des gens qui parfois sont même agressifs en nous tendant la main et des fois on est porté à dire au Seigneur: «Mais qu'est-ce qui faut que je fasse avec ces gens-là?» Moi, je dois vous dire que c'était moins compliqué quand je n'étais pas croyant. J'avais juste à dire: «Non», et c'était simple. Mais maintenant alors que j'ai la foi, quand je viens pour dire: «Non», j'ai toujours cette Parole qui me revient: «Quand j'avais faim, tu m'as donné à manger, quand j'avais soif, tu m'as donné à boire.» Prenons conscience ensemble que si vous ne trouvez pas ça difficile d'être chrétiens, il manque peut-être quelque chose. Parce que c'est un renouvellement à tous les jours, le Seigneur nous en demandera toujours plus et ça il faut en prendre conscience.

Je nous souhaite à cette approche de Noël, que cette année Noël ce ne soit pas juste la crèche: peut-être qu'aujourd'hui, à l'aube de l'an 1999, le Seigneur veut venir au monde dans notre cœur, notre cœur à chacun. Vous allez me dire: «Mais moi, j'ai trop fait de choses, mon cœur est un peu pourri, est un peu sale.» Moi, je vous dirais que le Seigneur veut venir au monde dans chacun et chacune de nous, peu importe nos limites, peu importe nos erreurs, peu importe notre péché, parce qu'Il veut renouveler notre cœur et faire de nous des enfants de Dieu. C'est ce que je nous souhaite à chacun: qu'on puisse réaliser que Jésus veut naître en nous. Que ça ne soit pas juste un symbole, et qu'on puisse dire, on se prépare à Noël, on est dans l'Avent, dire au Seigneur: «Cette année je veux que Tu naisses en moi.»

J'aimerais qu'on prenne le temps de réfléchir d'ici Noël, sur les pardons qu'on pourrait faire, sur les réconciliations. Si on est vraiment chrétien, on peut prendre le téléphone et appeler quelqu'un à qui on n'a pas parlé depuis un an, qui nous a blessé ou qu'on a blessé et être capable de faire le premier pas et dire: «Écoute, c'est Noël qui arrive, on va essayer de se pardonner, de se reparler, parce que j'ai la foi et j'ai besoin de cette paix à l'intérieur de moi.» Je vous le souhaite, les gens à la maison, on a tous quelqu'un qui nous a blessé un jour et à qui on a le goût de pardonner dans notre cœur, parfois la réconciliation n'est pas toujours possible, mais être capable à l'intérieur de nous de pardonner à cette personne. Vous n'en serez que plus libre. Quand on hait quelqu'un, ce n'est pas à la personne qu'on fait mal, c'est à soi, et beaucoup de cancers en sont la preuve, parce que quand on hait, on dirait qu'on se réveille la nuit pour ne pas aimer quelqu'un, c'est à soi qu'on fait mal!

Demandons à Dieu, à Jésus, en cette période de Noël, de nous aider à pardonner, Lui qui nous a tout pardonné, Lui qui nous a tout donné et qui est même mort sur une croix pour chacun et chacune de nous. J'aimerais, si vous le voulez, qu'on puisse prier ensemble pour ces intentions:

Seigneur Jésus, je veux Te demander aujourd'hui de nous aider à pardonner à quelqu'un. Nous avons tous quelqu'un qui nous a blessé un jour. Seigneur, je Te demande de nous aider d'ici Noël à faire un geste concret, très concret pour être capable de pardonner dans notre cœur et vivre cette paix qui est essentielle à notre bonheur à chacun. Aide-nous à aider les autres, Seigneur. De plus en plus dans les jours qui viennent, on verra des gens qui nous tendent la main, Seigneur, fait que notre cœur soit ouvert et qu'on puisse voir en chacun et chacune Ton visage à Toi, même si parfois on ne comprend pas toujours. Seigneur, je Te redis merci de nous aimer chacun et chacune comme nous sommes.

Amen.

Sylvain Charron

Émission
du 27 décembre 1998
Matthieu 5: 3-12

En marche, ceux qui sont pauvres en eux-mêmes

Heureux les pauvres en esprit, car le royaume des cieux est à eux!

Heureux les affligés, car ils seront consolés!

Heureux les débonnaires, car ils hériteront la terre!

Heureux ceux qui ont faim et soif de la justice, car ils seront rassasiés!

Heureux les miséricordieux, car ils obtiendront miséricorde!

Heureux ceux qui ont le cœur pur, car ils verront Dieu!

Heureux ceux qui procurent la paix, car ils seront appelés fils de Dieu!

Heureux ceux qui sont persécutés pour la justice, car le royaume des cieux est à eux!

Heureux serez-vous, lorsqu'on vous outragera, qu'on vous persécutera et qu'on dira faussement de vous toute sorte de mal, à cause de moi.

Réjouissez-vous et soyez dans l'allégresse, parce que votre récompense sera grande dans les cieux;

car c'est ainsi qu'on a persécuté les prophètes qui ont été avant vous.

Par ce texte des plus actuel après 2000 ans, le Seigneur nous montre un modèle de vie merveilleux, un modèle de société. Mais, malheureusement, nous les humains, préférons vivre à notre façon. Si ensemble nous prenions le risque de VIVRE les béatitudes, notre monde serait transformé à tout jamais.

Il faut prendre le temps de bien comprendre ce texte. Je vous exhorte, à la maison, à regarder dans votre livre de la Parole de Dieu, de relire et de prendre le temps de méditer ce texte. Même s'il a été écrit il y a deux mille ans, il est toujours d'actualité. Nous vivons dans un monde qui n'est pas toujours facile; on entend toujours parler de guerre, on ne sait jamais quand ça va éclater. Malgré tout, le Seigneur nous invite à être pauvre en nous-mêmes, pur dans notre cœur, à vivre comme il nous l'a enseigné et il nous promet le bonheur.

Malheureusement, nous sommes à peu près tous pareils, nous préférons fermer notre cœur, fermer nos oreilles à ce que Dieu voudrait nous dire, et nous regardons ce que ça donne maintenant depuis deux mille ans. Le Seigneur est venu nous sauver, il y a deux mille ans, Il est venu nous parler de pardon et quand je considère en même temps l'état actuel du monde, on dirait que nous n'avons pas compris, malheureusement. Il nous a demandé d'apprendre à pardonner et nous sommes portés à l'oublier, à nous venger, au lieu de pardonner. Nous sommes encore durant la période de Noël, et j'ose nous souhaiter à chacun que si nous n'avons pas encore su pardonner, d'être capables de le faire en cette période qui est propice au pardon et à la réconciliation.

Je veux maintenant vous dire que pour l'année 1999 qui commence avec le message des Béatitudes qu'on vient d'entendre, peut-être que le Seigneur aurait le goût de nous dire d'aller davantage de l'avant. Dernièrement, j'entendais une personne affirmer que quand le Seigneur nous disait: «Bienheureux, vous les pauvres dans votre cœur, bienheureux, bienheureux», c'est comme s'il fallait rester assis. Moi, je suis sûr que le Seigneur veut nous dire: «Allez, en marche!» Si le Seigneur nous disait au début de l'année 1999, et que cela soit notre objectif à chacun, vous allez tous vous reconnaître dans ce texte-là, si le Seigneur disait à chacun: «Allez, en marche! ceux qui sont pauvres en eux-mêmes, le royaume des cieux est à eux! En marche! ceux qui sont dans la tristesse, Dieu vous consolera! En marche! vous les doux, vous recevrez la terre que Dieu a promise! En marche! ceux qui désirent vivre comme Dieu le demande, Dieu vous l'accordera pleinement! En marche! ceux qui sont purs dans leur cœur, ils verront Dieu! En marche! ceux qui militent pour la paix, Dieu les appellera ses fils et ses filles! En marche! ceux qui sont persécutés parce qu'ils agissent comme Dieu le demande, le royaume des cieux est à eux!» Si nous prenons le temps cette année de se mettre en marche, d'agir comme chrétiens, comme croyants, de nous tenir debout comme le Ressuscité, le Ressuscité qui se tient debout devant la face du monde, et j'espère que durant cette année, nous pourrons prendre le temps de vivre comme Jésus nous le demande.

Dans la dernière partie du texte Jésus nous dit: «Heureux êtes-vous si on vous persécute à cause de mon nom.» Je vous dirai qu'il y a des gens qui pensent qu'en l'an 2000, les chrétiens ne seront plus persécutés, et moi, je vous dis le contraire. Les chrétiens sont encore très persécutés, que ce soit dans le monde entier ou même ici au Québec, au Canada et aux États-Unis. La persécution, maintenant, est beaucoup plus subtil, à la télévision, à la radio et dans les journaux, chaque fois que quelqu'un ose parler de sa foi, on le traite de «kétaine», on le traite «d'arriéré», on le tourne en ridicule, parce qu'il ose proclamer sa foi. Moi, j'espère qu'un jour de plus en plus d'artistes, qui sont des modèles pour les jeunes, oseront se lever et dire qu'ils ont la foi. Je connais beaucoup d'artistes, dans le milieu de la télévision, des journaux ou de la radio, qui ont la foi mais qui n'osent pas le dire, parce que ça pourrait nuire à leur carrière. Voyons donc! Si vous, qui sont les modèles pour beaucoup de jeunes, vous vous leviez debout et disiez: «Moi, j'ai la foi en Jésus-Christ et je n'ai pas peur de le dire.» Ça ne nuira jamais à votre carrière, bien au contraire! J'espère que beaucoup d'artistes auront ce courage de dire aux jeunes: «Moi, j'ai la foi et j'ai donné ma vie un jour à Jésus et je ne le regrette pas!» J'espère et je vous demande, à la maison, de prier pour la réalisation d'un tel objectif.

Avant de vous laisser, je veux vous lire un très beau texte que quelqu'un m'a remis, et je trouve qu'il convient bien à la période des fêtes. Je sais que beaucoup le demanderont par la poste, on vous l'enverra avec plaisir. J'aimerais que vous l'écoutiez avec votre cœur, c'est un petit mot d'enfant, et ça va vous faire réfléchir à la maison, j'en suis convaincu.

«J'aimerais être Félix, notre petit chat, pour être comme lui pris dans vos bras chaque fois que vous revenez à la maison… J'aimerais parfois être un baladeur pour me sentir écouté par vous deux, sans aucune distinction, n'ayant que mes paroles au bout des oreilles, fredonnant l'écho de ma solitude… J'aimerais être un journal, pour que vous preniez le temps à chaque jour de me demander de mes nouvelles… J'aimerais être une télévision pour ne jamais m'endormir le soir sans avoir été, au moins une fois, regardé avec intérêt… J'aimerais être une équipe de hockey pour toi, papa, afin de te voir t'exciter de joie après chacune de mes victoires, et un roman pour toi, maman, afin que tu puisses lire mes émotions… À bien y penser, j'aimerais n'être qu'une chose: un cadeau inestimable pour vous deux. Ne m'achetez rien pour ma fête, permettez-moi seulement de sentir que JE SUIS VOTRE ENFANT.»

Que ça fait réfléchir! Je souhaite qu'en 1999, nous puissions prendre le temps de nous dire que nous nous aimons, n'attendons pas que les gens soient morts pour leur dire que nous les aimons. J'aimerais, si vous le voulez, qu'on prenne quelques secondes pour offrir au Seigneur cette année qui s'achève et la nouvelle qui débute.

Seigneur Jésus, je veux Te remercier pour cette belle année qu'on vient de vivre. Je Te demande de prendre soin des gens qui sont seuls en cette fin de semaine d'après Noël. Seigneur, prends-les dans tes bras, comble-les et dis-leur à ta façon comment ils sont uniques pour toi et combien tu les aimes.

Amen.

Sylvain Charron

Émission
du 10 janvier 1999
Jérémie 17: 5-8

L'invitation à s'appuyer sur du solide

Ainsi parle Dieu: «Maudit soit l'homme qui se confie en l'homme, qui fait de la chair son appui et dont le cœur s'écarte de Dieu! Il est comme un chardon dans la steppe: il ne ressent rien quand arrive le bonheur. Béni soit l'homme qui se confie en Dieu et qui a la Foi en Lui! Il ressemble à un arbre planté au bord des eaux qui tend ses racines vers le courant: il ne redoute rien, il est sans inquiétude et ne cesse de porter du fruit!»

De tout temps, l'homme a besoin de faire confiance et de s'appuyer sur Quelqu'un de plus grand que lui! Tout au long de la Bible, l'homme est invité à faire confiance à Dieu qui a une Parole qui ne peut pas nous tromper! La seule question est de savoir comment cette Parole se mettra en œuvre pour chacun de nous! C'est alors qu'arrive... l'acte de Foi qui consiste à s'appuyer sur la solidité de Celui qui me parle!

Chers amis, dans cet extrait de Jérémie, il y a l'invitation à s'appuyer sur du solide. Dieu dit: «Béni soit celui qui va s'appuyer sur Dieu qui ne peut pas le tromper.» On a tellement tendance à s'appuyer sur des choses éphémères, des choses fragiles. «Maudit soit l'homme qui ne compte pas sur du solide», dit la Bible. C'est très radical et, en même temps, c'est très beau! Et faire un acte de foi, c'est faire confiance à une Parole qui ne peut pas nous tromper. J'aime bien la définition de la foi dans le chapitre 11 aux Hébreux quand on dit: «La foi c'est la garantie des biens que l'on espère, la preuve des réalités que l'on ne voit pas.» L'auteur nous dit que pour faire un acte de foi, il faut une Parole, pas n'importe laquelle, pas une parole en l'air, mais une Parole de solidité. C'est ça, notre Dieu. Il nous apporte la Parole de solidité et Il nous dit à chacun: «Veux-tu t'appuyer sur elle? Veux-tu faire confiance à cette Parole?»

Je parlais tantôt avec Julien Bessette et je me disais: «Mon Dieu que c'est beau, quelqu'un qui a trouvé le sens d'une force sur laquelle s'appuyer!» Il a trouvé ce chemin de Dieu en lui par l'intermédiaire d'un témoin, le Frère André. Il n'a pas pris le Frère André pour le bon Dieu, mais il s'est dit que le Frère André a cru en la Parole, alors il allait faire comme lui! De l'entendre et de voir le feu qui brillait dans ses yeux, alors qu'il me parlait de l'espérance qu'il avait dans son cœur, je me disais: «Comment Dieu doit être heureux de regarder son serviteur et de l'orienter dans le cheminement qu'il a tracé pour lui!» Comme il me disait tantôt: «Peu importe ce qui arrivera, l'important c'est que la volonté de Dieu ce fasse!»

La foi, c'est l'écoute d'une parole; il y a un sens d'écoute dans la foi. Comment peut-on croire, se demande-t-on parfois? On va croire si on se met à l'écoute. Souvent, c'est ça qui nous manque, on est dans un monde de bruit, dans un monde où on parle beaucoup mais où on n'écoute plus. Si on veut faire cet acte de foi, si on veut être capable de dire un jour à Dieu: «Je crois en Toi, mon Dieu», il faut avoir écouté dans notre cœur Sa Volonté et Sa Parole. Avoir réalisé que la Parole, même si elle nous désarçonne parfois, n'est jamais vaine. Quand quelqu'un est malade, ce n'est pas facile, vivre un deuil, ce n'est pas facile; pour quelqu'un qui est en face d'un suicide, ce n'est pas facile, mais c'est là que Dieu vient nous chercher et nous dit: «Crois-tu en la force de Ma Parole? Es-tu capable de t'appuyer sur la solidité que Moi Je veux te donner?» C'est ça, notre Dieu, Il nous invite à comprendre que c'est là, dans cet acte de foi, dans ce «Oui» d'amour qu'on va découvrir que Dieu est un Père.

Cette année, en 1999, on va considérer le grand thème «Dieu est Mon Père». Découvrir le cœur de Dieu, ce n'est pas évident, parce que nous nous sommes fait des images de Dieu et souvent nous fonctionnons dans notre tête et dans notre cœur avec de fausses images d'un Dieu qui n'est pas ce Père de tendresse, lent à la colère et plein d'amour. Monsieur Bessette parlait tantôt de ce Dieu ouvert à tous, capable d'accueillir tout le monde parce qu'un Père aime tous ses enfants sans exception. Un peu comme le père et la mère de famille d'aujourd'hui qui ont des enfants différents, mais qui les aiment tous, et chacun, quel que soit leur différence. Voilà notre Dieu et voilà ce chemin de foi que nous sommes invités à regarder ensemble. Je le demande avec vous dans la prière.

Seigneur, soit béni parce que Tu es ce Dieu qui nous tend la main. Tu es ce Dieu qui nous dit: «Veux-tu t'appuyer sur du solide? Veux-tu que Ma Parole entre dans ton cœur?» Seigneur, que Ta Parole fasse son effet dans ma vie et dans la vie des autres. Donne-nous, Seigneur, la joie de savoir que Tu es notre Père, que nous somme Tes enfants. Donne-nous la certitude que tu ne nous manqueras jamais parce que ta Parole est vraie, ta Parole est solide et tes promesses vont s'accomplir. Oui, Père tout puissant, révèle-toi à tes enfants comme le Père de bonté que tu es, et donne à chacun de nous la joie de cheminer et la joie de se faire petit devant toi pour accepter ta volonté.

Amen.

Abbé Jean Ravary

Émission
du 24 janvier 1999
Ézéchiel 34: 11-16

Moi, je serai leur pasteur

Ainsi parle le Seigneur Dieu:

«Voici que j'aurai soin moi-même de mon troupeau et je m'en occuperai. Je les retirerai de tous les lieux où ils furent dispersés au jour des ténèbres! Je leur ferai quitter les pays étrangers et les ramènerai sur leur sol! Je les ferai paître dans un bon pâturage! C'est MOI qui ferai paître mes brebis, et c'est MOI qui les ferai reposer! Je chercherai celle qui est perdue, je ramènerai celle qui est égarée, je panserai celle qui est blessée, je fortifierai celle qui est malade! Je les ferai paître avec JUSTICE!»

Dans la Bible, les comparaisons les plus simples sont souvent les plus belles! Pour le peuple juif, l'image du Pasteur était une réalité du quotidien!

Jésus s'est souvent comparé au Bon Pasteur qui connaît chacun par son nom et qui sait ses besoins. Mais déjà, comme on l'a vu dans le texte de l'Ancien Testament, des textes très riches y faisaient allusion et nous parlaient de son activité pour chacun de nous!

Que c'est beau, cette image du bon pasteur, dont il est fait mention dans Ézéchiel et que Jésus a reprise dans l'Évangile de saint Jean. Dieu parlait à son peuple de choses qu'Il connaissait; tout le monde en Israël connaissait ce qu'était un pasteur avec son troupeau. Peut-être que cette image nous est moins familière, j'en conviens, mais tout le monde la connaissait, car Jésus parlait le langage de tout le monde. Quand j'étais curé, un jour, une dame est entrée dans l'église et m'a dit: «Je viens de loin, vous savez, à votre église!» Moi, en souriant, je lui rétorque: «Mais pourquoi venez-vous ici? — Parce que vous parlez, a-t-elle répondu, avec des mots que je comprends.» Ça m'a fait sourire et, en même temps, je me suis posé une question. Je me suis dit: «Ne me dis pas qu'elle a fréquenté pendant longtemps un endroit où elle ne comprenait pas ce qu'on y disait!» Dieu veut qu'on ait un langage proche de celui des gens, facile à saisir, facile à comprendre. Quand Jésus parlait du pasteur, pour les gens, c'était facile à saisir. Comme si on parlait des métiers qu'on voit souvent ici, c'est facile à comprendre, et Dieu parlait en nous donnant une leçon bien d'actualité.

Il voyait les pasteurs, non pas les pasteurs de troupeaux, mais les chefs des prêtres dans le pays d'Israël qui souvent ne prenaient pas soin du troupeau.

Il leur a adressé des reproches. Dieu à dit: «Si vous ne vous occupez pas de mon peuple, moi je vais m'en occuper!» C'est tellement beau et émouvant d'entendre Dieu dire: «Moi, je serai leur pasteur. Moi, je ramènerai mon troupeau, Moi, je panserai les brebis qui sont blessées. Moi, je fortifierai celles qui sont faibles. J'appellerai chacune par son nom.» J'écoute ces paroles et ça me bouleverse!

Un jour, une dame m'a donné, à *Évangélisation 2000*, une peinture qu'elle avait faite. Il s'agissait du bon Pasteur avec son troupeau. Et il y avait plein de chemins, tellement qu'on ne voyait pas si c'était des chemins ou des brebis qui étaient là! Et ces paroles de Jésus qui disait: «Même s'il y en a plein, moi je suis attentif à chacun et à chacune, je te connais par ton nom, je devine tes blessures, je sais tes problèmes et je te dis "je t'aime".» Moi, juste à me rappeler ces paroles-là, ça me bouleverse parce que je me dis: «Mon Dieu, l'amour de Dieu pour nous c'est personnel! C'est incroyable!» Dieu qui est le Pasteur de son peuple et qui nous dit: «Je t'appelle par ton nom, je t'aime, je te connais, je m'occupe de toi.» Voilà ce que Dieu dit à chacun de nous. On est bien loin de ce Dieu qui nous juge et qui nous reprend quand on fait quelque chose de mauvais. «Je m'occupe de toi. Même si tu es pris dans les ronces, même si tu es loin de moi, je laisserai les autres pour aller te chercher parce que je t'aime et parce que tu vaux la peine d'être aimé.»

Si en entendant cette parole, vous vous dites: «C'est pour moi, c'est pour moi qui n'ai plus confiance en moi, qui n'ai plus confiance dans les autres, qui n'ai plus confiance en personne, c'est pour moi, cette parole. Dieu me dit qu'il m'aime, moi, tel que je suis!» Voilà qui peut changer la vie de quelqu'un! Notre Dieu vient nous dire: «Soit attentif aux autres dans le détail.»

Ce que madame Antoine nous a dit tantôt: «Moi je ne fais pas des choses extraordinaires, vous savez! Moi je fais des choses toutes simples. Je regarde les personnes, je les salue, je les valorise, je leur fais sentir qu'elles sont quelqu'un pour moi.» C'est ça, la pastorale, finalement. C'est ça, l'Évangélisation. Évangéliser, ça veut dire annoncer une bonne nouvelle par toutes ses actions. Madame Antoine nous disait qu'elle a arrêté de prendre Dieu pour un marchand, pour un négociateur; elle s'est rendu compte que Dieu était un Père. Mon Dieu que ça fait du bien d'entendre un témoignage comme celui-là et que ça fait du bien d'entendre Dieu Notre Père dire à chacun: «Tu es précieux pour moi, tu es précieuse pour moi, tu es quelqu'un.» Quand qu'on est quelqu'un pour quelqu'un d'autre, c'est ça qui épanouit et qui fait du bien! C'est ce message-là que je veux vous apporter aujourd'hui. Dieu Pasteur nous dit: «Je t'aime et je t'appelle par ton nom.» Rendons grâce à Dieu, tous ensemble dans la prière:

Seigneur, merci d'être ce Bon Pasteur qui prend soin de nous. Nous n'aurons jamais les mots adéquats pour Te dire merci de ce que Tu es. Merci d'être ce Dieu qui nous regarde et qui nous dit: «Me fais-tu confiance? Parce que moi, quel que soit ton passé, je te dis que tu m'appartiens, tu ne viendras jamais à bout de mon amour, mon amour sera toujours plus fort que tes fautes, oui, je t'aime.» Merci de ces paroles, Seigneur, Toi qui viens guérir les cœurs, guéris les cœurs de ceux qui écoutent, les cœurs de ceux qui ne se sentent plus rien et les cœurs de ceux qui veulent te dire un «Oui» d'amour encore plus fort.

Amen.

Abbé Jean Ravary

Émission
du 7 février 1999
Jean 4: 26 et 28

Jésus et la femme de Samarie

La femme lui dit: «Je sais que le Messie va venir. Quand il viendra, il nous expliquera tout.» Jésus lui répondit: «Je le suis, moi qui te parle.» Alors la femme laissa là sa cruche d'eau et retourna à la ville, et elle dit aux gens: «Venez voir un homme qui m'a dit tout ce que j'ai fait. Serait-il le Messie, peut-être?» Ils sortirent donc de la ville et allèrent vers Jésus.

Une femme pécheresse qui rencontre l'essentiel.

Et ça devient contagieux!

Si c'était cela l'évangélisation?

Que c'est beau! Que j'aime ce texte! Non, je ne veux pas insister sur la conversion de la Samaritaine, dont il est question au début du chapitre, mais plutôt sur sa rencontre avec Jésus. Jésus lui dit: «Je suis celui que tu cherches, c'est moi qui te parle. J'ai une parole à dire à ton cœur.» Voilà que la femme a été bouleversée au fond de son être et compris tout à coup ce qu'était l'évangélisation.

Évangéliser, c'est livrer la bonne nouvelle. Quand on a pris le nom d'*Évangélisation 2000*, c'était notre but. On s'est dit qu'il fallait répandre la bonne nouvelle, et cette bonne nouvelle c'est que Dieu m'aime, moi, tel que je suis et qu'Il me trouve assez important pour me donner Son amour. Un peu comme à la Samaritaine, cette femme qui avait de grands problèmes, qui traînait une vie sexuelle un peu osée et nourrissait toutes sortes de conflits intérieurs, elle a rencontré la source d'eau vive et Jésus lui a dit à cette femme: «Je t'aime, toi, telle que tu es.» Imaginez, se faire dire cette parole de Dieu, par ce Jésus qui ne craint pas d'affirmer: «Est-ce que tu crois vraiment que je t'aime jusque là?» Qu'est-ce qu'elle fait la Samaritaine? Elle réalise tout à coup qu'elle vient de rencontrer l'essentiel et, nous dit le texte biblique: «Elle a laissé sa cruche.» Comprenons bien l'image. La cruche de la Samaritaine, c'était sa vie. Elle venait à la fontaine tous les jours pour prendre de l'eau. Elle a changé de vie et est partie dire aux autres: «Venez, venez, j'ai trouvé celui qui m'a révélé mon passé: j'ai trouvé celui qui donne un sens à ma vie!» C'est ça l'évangélisation, la Samaritaine devenait évangélisatrice.

Tantôt, en parlant avec monsieur Drolet, je me disais: «À sa façon, cet homme-là, en réveillant et en faisant bouger le monde, il est un évangélisateur; il annonce la bonne nouvelle, nous fait comprendre que nous n'avons pas à nous laisser prendre par les modes de la société, par l'ésotérisme, par toutes ses modes faciles que le monde nous offre. Il y a des valeurs que nous devons aller chercher au-dedans de nous. Toute sa carrière radiophonique a été orientée en ce sens et, chacun à notre place, nous devons être des évangélisateurs, être capables d'annoncer la bonne nouvelle.»

Moi, je suis toujours impressionné quand, au bureau, à *Évangélisation 2000*, les secrétaires et les gens qui y travaillent me disent: «Tu sais, Jean, on a reçu aujourd'hui deux cent cinquante lettres, et sur ce nombre combien de gens disent "J'ai découvert l'émission et je l'ai dit à ma voisine, je l'ai dit à un autre et je l'ai dit à ma parenté".» Je trouve ça beau et je me dis: «C'est ça, le feu qui se répand, le feu qui va partout, qui embrase d'autres foyers. Devenir des évangélisateurs un peu comme la Samaritaine!» Les gens au téléphone nous disent: «Ça nous fait du bien, c'est de ça dont je voulais entendre parler, je voulais comprendre qu'enfin un Dieu avait quelque chose à dire à ma vie, à moi, dans mon quotidien, à moi-même.» Voilà, notre Dieu qui dit: «Laissez-vous évangéliser, laissez-vous transformer par la Parole. Elle n'a pas fini de vous dire combien elle vous prend au sérieux, cette Parole.» Devenons de bonnes Samaritaines, si je peux dire, de bons Samaritains, en évangélisant et en disant aux autres: «N'ayez pas peur, Jésus est là, Il veut nous faire comprendre l'essentiel!»

Dans le monde actuel, quand on est attentif à ce qui se passe, quand on voit à quelle vitesse les événements se succèdent et quand on est sollicité de toutes parts par des tendances et des modes qui ne sont pas toujours de tout repos, on se demande où est l'essentiel. Et pourtant, quand on rencontre des gens qui, à un moment donné, se retrouvent en prière, dans le silence parfois d'une chapelle dénudée et qui sentent une présence bien vivante, qui savent faire le silence et qui rencontrent à travers le silence cette Parole, c'est ça, l'Évangile, et c'est ça, l'évangélisation! Annoncer cette bonne nouvelle, c'est être capables d'être témoins de la Vérité dans les moindres gestes de notre vie. Qu'on ne craigne pas de dire: «Oui, je l'ai rencontré! Oui, j'irai le dire à d'autres! Oui, je serai contagieux et contagieuse de cette bonne nouvelle!» C'est un peu ça que je voudrais qu'on saisisse ensemble, et avec vous, j'ai le goût de prier:

Seigneur, Toi Tu es l'essentiel. Toi, Tu es la parole. Toi, Tu nous donne le sens de ce que nous attendons dans notre cœur. Nous avons besoin, Seigneur, de nous retrouver dans la simplicité de la prière. Non pas dans la complication des jugements, mais dans la simplicité de Ta présence qui vient nous transformer. Seigneur, donne-nous le goût de devenir contagieux, comme la Samaritaine. Donne-nous le goût d'aller plus loin, donne-nous le goût d'en allumer d'autres, pour qu'ensemble Ton peuple soit un peuple de feu, un peuple qui n'a pas peur de Te faire confiance.

Amen.

Abbé Jean Ravary

Émission
du 14 février 1999
2 Timothée 4: 2-5

Le temps viendra où les hommes ne voudront plus écouter le véritable enseignement

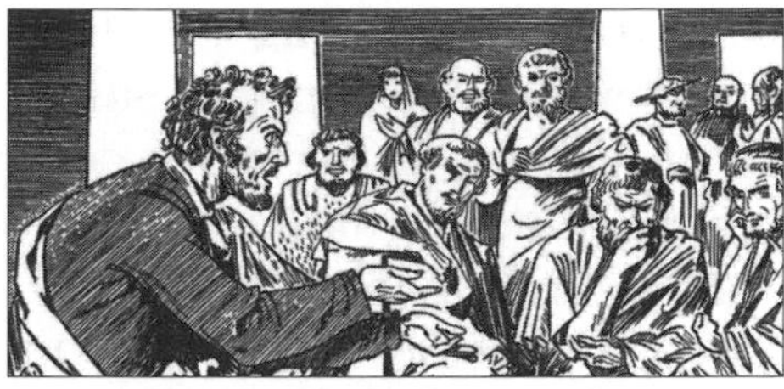

Prêche la Parole de Dieu et annonce-la avec insistance, que l'occasion soit favorable ou non; persuade, adresse des reproches et encourage, en enseignant avec une patience parfaite. Car le temps viendra où les hommes ne voudront plus écouter le véritable enseignement, mais ils suivront leurs propres désirs et rassembleront auprès d'eux une foule de maîtres qui leur diront ce qu'ils désirent entendre. Ils n'écouteront plus la Vérité, ils s'en détourneront pour porter toutes leurs attentions sur des légendes. Mais toi, demeure maître de toi-même en tout, supporte la souffrance, fais ton œuvre de prédicateur de la Bonne Nouvelle et accomplis entièrement ton devoir de serviteur de Dieu.

Quand on prend le temps de bien écouter ce texte, on comprend que saint Paul avait raison. Bien que cela ait été écrit il y a environ deux mille ans, ce texte nous décrit exactement ce qu'on vit en 1999, à l'aube du nouveau millénaire. Ce que saint Paul a le goût de nous redire aujourd'hui à travers ce texte, c'est qu'il ne faudra jamais oublier que le bien restera toujours le bien, peu importe ce que tous les médias, toutes les nouvelles tendances nous incitent à adopter. Il faut avoir l'audace de dire que le mal restera toujours le mal, même s'il est de plus en plus subtil. Si on considère attentivement notre société, si on prend le temps de la regarder telle qu'elle est, on ne peut que se rappeler saint Paul qui nous dit que les gens préféreront le mensonge, préféreront croire en des légendes et en toutes sortes d'autres choses sauf la vérité. C'est vrai! En cette année 1999, vous verrez de plus en plus de gens vous prédire une fin du monde imminente, vous verrez surgir de plus en plus de nouvelles sectes, de nouveaux gourous, de nouveaux maîtres vont se lever et beaucoup de gens préféreront croire à ces gens-là plutôt que de croire en la vérité qui est dans la Parole de Dieu.

Quelle tristesse! On dirait que chaque fois que quelque chose présente une approche catholique ou chrétienne, les gens sont portés à dire: «Non, c'est trop vieux, on préfère croire à autre chose.» Les gens se font arnaquer, se laissent attirer et prendre par toutes sortes de nouvelles modes. Qu'il s'agisse d'ésotérisme, de sciences occultes, du Nouvel âge, d'astrologie et de tous ces nouveaux dogmes, c'est devenu une mode lourde de conséquence. J'ai tellement le goût qu'on puisse ensemble, entre chrétiens, comme le dit saint Paul, être capables de dénoncer le mal. Malheureusement, souvent on a peur d'aller aussi loin, d'appeler les choses par leur nom, et quand on voit tous ce qui ce passe au niveau des médias, tout ce qui compte maintenant ce sont les cotes d'écoute, les sensations, etc. Et c'est partout le même *pattern*. Quand on aura l'audace, comme chrétiens, de dire la vérité telle qu'elle est, une vérité qui parfois nous dérange, nous aurons fait un grand pas. Et c'est bien qu'elle nous dérange. La journée où la vérité de Jésus ne nous dérangera plus, nous aurons un gros problème.

Beaucoup de gens préfèrent vivre maintenant dans l'illusion que tout va bien, dans l'illusion qu'il n'y en a pas de problème. Mais quand on prend le temps de regarder autour de soi, on s'aperçoit que le Malin est très subtil. Il essaie de nous faire croire que le mensonge est devenu une vérité. Que de fois nous voyons des gens, rire des croyants en disant: «Ils croient encore en de veilles affaires, ça n'a pas de bon sens.» Alors que comme chrétiens, nous devons apprendre à nous tenir debout et ne pas avoir honte de ce que nous sommes! Quand Jésus dit à un moment donné dans l'Évangile: «Il viendra un temps où même les élus seront trompés.» Imaginez, ça va loin, même des gens en qui on a totalement confiance, parfois des gens connus, des gens en vue peuvent même nous induire en erreur.

Je vous demande d'être prudents cette année, parce que comme je vous disais plus tôt, vous verrez toutes sortes de gourous surgir, toutes sortes de nouvelles modes, toutes sortes de nouvelles théories qui vont encore nous troubler davantage. Ce qui me fait le plus de peine, c'est quand je pense aux enfants, aux enfants qui ont accès à l'Internet, qui ont accès à la télévision et à toutes sortes de choses et qui vont être portés à croire à ce qu'il y a de plus flamboyant, à ce qui va être le plus à la mode. Dernièrement, il s'est fait un sondage en Europe auprès des enfants de sept ou huit ans environ; on demandait aux enfants une simple question: «Connaissez-vous Jésus-Christ?» Figurez-vous que la majorité des enfants ont dit: «Est-ce que c'est un nouveau chanteur? Est-ce que c'est un nouveau groupe rock?» Un jour, on aura ce problème-là ici! Et moi, je souhaite qu'ensemble nous puissions élaborer des projets, parce que quand saint Paul dit qu'il faut évangéliser, annoncer la Parole de Dieu par tous les moyens possibles, même quand ce n'est pas le temps. Mais c'est toujours le temps d'annoncer une bonne nouvelle!

Je vous demande de ne pas oublier dans votre prière un projet qui nous tient à cœur pour la prochaine année. C'est qu'on puisse un jour avoir une émission pour enfants. Vu que dans les écoles on parle de moins en moins de Jésus, de la Parole de Dieu, il faut que, par les médias, nous puissions nous adresser aux enfants et leur faire connaître ce Sauveur qui nous a sauvés, celui qui nous a tout donné. Parce que si les enfants n'entendent pas parler de Jésus, quel genre de société aurons-nous demain? Et on doit la préparer aujourd'hui, cette société-là! Je vous demande de ne pas oublier ce projet dans votre prière, parce que je sais que vous êtes plus de trois cent mille à écouter l'émission, et quand trois cent mille personnes demandent à Jésus: «Donne-nous les moyens, aide-nous à avoir les bonnes idées pour qu'on puisse rejoindre aussi les enfants», je sais que ça va arriver. Ce n'est pas important de dire: ça va coûter cher! Non, le Seigneur c'est lui qui dirige tout, et si le Seigneur a un projet dans le cœur, vous allez voir qu'il va le réaliser, comme il l'a fait pour *Évangélisation 2000* depuis bientôt quatre ans. Je vous fais confiance, et je fais aussi confiance au Maître de l'impossible. Je vous demande de faire de petits gestes dans votre milieu, d'être capables d'évangéliser à votre façon. J'aimerais qu'on prenne quelques secondes pour prier ensemble:

Seigneur Jésus, je veux Te remercier de nous donner l'audace d'annoncer Ta Parole. Merci pour tous ces gens qui sont à l'écoute et qui, eux aussi, feront leur petit geste d'évangélisation autour d'eux. Seigneur, je veux T'offrir nos jeunes, les enfants, enfin qu'on trouve un moyen de leur parler de Jésus, mais à leur façon. Seigneur, je Te laisse ça entre Tes mains parce que je sais que Tu es le Maître de l'impossible.

Amen.

Sylvain Charron

Émission du 21 février 1999
Mathieu 6: 3-6, 16-18

Dieu notre Père n'est pas un Dieu loin

Mais quand tu fais l'aumône, que ta main gauche ne sache pas ce que fait ta droite, afin que ton aumône se fasse en secret; et ton Père, qui voit dans le secret, te le rendra.

Lorsque vous priez, ne soyez pas comme les hypocrites, qui aiment à prier debout dans les synagogues et aux coins des rues, pour être vus des hommes. Je vous le dis en vérité, ils reçoivent leur récompense. Mais quand tu pries, entre dans ta chambre, ferme ta porte, et prie ton Père qui est là dans le lieu secret; et ton Père, qui voit dans le secret, te le rendra.

Lorsque vous jeûnez, ne prenez pas un air triste, comme les hypocrites qui se rendent le visage tout défait, pour montrer aux hommes qu'ils jeûnent. Je vous le dis en vérité, ils reçoivent leur récompense. Mais quand tu jeûnes, parfume ta tête et lave ton visage, afin de ne pas montrer aux hommes que tu jeûnes, mais à ton Père qui est là dans le lieu secret; et ton Père, qui voit dans le secret, te le rendra.

En cette Année du Père, nous sommes invités à réaliser l'intimité de la présence de ce Dieu qui nous regarde avec Amour, car nous sommes ses enfants! Que de choses Il peut dire dans la secret de nos cœurs et que de blessures, Il peut guérir... Laissons-nous saisir par Lui...

Dans cette Parole de Dieu qui vient de nous être lue, il y a comme un refrain de chanson à répondre et c'est très beau: «... et ton père qui voit dans le secret te le rendra». Dieu nous connaît jusqu'au fond de nous-mêmes, il connaît les motivations de notre cœur, il voit tout ce qui est caché, qui n'est pas apparent pour les autres. Voyez qu'on est loin de l'image d'un Dieu vengeur, d'un Dieu extérieur qui nous attend pour nous taper dessus et se venger, loin de là! Dieu est d'abord un Dieu de tendresse, d'amour et de paix parce qu'il vient nous visiter à l'intérieur de nous, et nous donne le goût d'avancer. Dans cette Année du Père, on apprendra la pédagogie de Dieu notre Père. Dieu notre Père n'est pas un Dieu loin, il est un Dieu proche de notre cœur.

Et cette autre parole qui dit: «Même les cheveux de votre tête son comptés.» Imaginez, c'est dans le détail que Dieu nous connaît. Ça peut peut-être commencer par le fait de connaître Dieu Père pour faire l'expérience de Dieu. Parce que beaucoup de personnes pensent à Dieu comme quelqu'un de très lointain, quelqu'un de très absent, quelqu'un de très erratique, de très froid. Mais Dieu est un cœur qui aime, c'est ça qu'il faut se dire: «Ton Père qui voit dans le secret, te rendra au centuple ce que tu feras. Ce que tu feras et qui ne paraîtra même pas aux yeux des autres.» Jésus vient nous inviter à faire cette démarche dans l'intimité de notre cœur. Quand tu pries, que ça ne paraisse pas trop, quand tu fais l'aumône, ne le dis pas, ne le claironne pas, reste dans le secret, dans ce cœur à cœur avec Dieu. La nouveauté que Jésus vient apporter dans son message, par rapport au Père, c'est que nous formons une communauté des petits, face à Dieu notre Père.

Un jour, Jésus s'est exclamé dans l'émerveillement et il a dit: «Je te bénis, Père, parce que tu as caché cela aux sages et aux savants, à ceux qui se pensent bien intelligents et tu l'as révélé aux tous petits.» Nous formons en quelque sorte la communauté des clients du Père, des pauvres. Jésus à été le premier pauvre au cœur pur, il veut que nous le devenions. Il vient nous dire que si nous sommes tous aimés d'un même Père, alors la conséquence, c'est ça la nouveauté de Jésus, c'est que nous sommes tous des frères. C'est dans ce sens-là qu'on est invités à comprendre que l'effet de la pitié de Dieu pour nous, de sa miséricorde dans notre cœur, fait de nous des frères, tous clients d'un même Père qui nous aime. Si nous pouvions donc comprendre ça davantage dans ce temps du Carême, mon dieu que ça serait beau! On comprendrait que Dieu ne veut pas notre destruction, Dieu ne veut pas notre déchéance, mais Dieu veut notre joie, notre libération et qu'on entre dans sa lumière.

Dans la veillée du Samedi saint, qui est la grande veillée pascale, on va célébrer le Baptême, on va célébrer la lumière, on va célébrer la victoire du Ressuscité pour qu'on comprenne ensemble que Jésus a quelque chose à dire à nos cœurs, lui qui est la lumière. Insistons sur cet amour universel, sur cet amour de pardon et de miséricorde que veut nous donner Jésus en nous faisant découvrir le Père. Demandons-le ensemble si vous le voulez et que notre cœur soit converti:

Seigneur, en ce Carême, avec mes frères et sœurs, je Te demande de nous venir en aide dans ce qui nous bloque dans notre cœur face à Toi. Peut-être que ne sommes pas capables de comprendre que Tu es notre Père, justement parce que nous n'avons pas eu un père sur la terre qui nous a donné une image positive de l'amour. Viens guérir cela. Je Te demande, Seigneur, viens guérir tous ceux qui ont souffert de leur père sur la terre. Révèle-Toi le Père de tendresse, le Père de miséricorde, le Père qui veut nous rencontrer. Je Te le demande dans la foi, pour que notre cœur soit dans la lumière et que nous puissions participer à la victoire du Ressuscité.

Amen.

Abbé Jean Ravary

Émission
du 28 février 1999
Marc 4: 24-25

C'est la mesure dont vous vous servez qui servira de mesure pour vous

Il leur dit encore: «Prenez garde à ce que vous entendez. On vous mesurera avec la mesure dont vous vous serez servis, et on y ajoutera pour vous. Car on donnera à celui qui a; mais à celui qui n'a pas on ôtera même ce qu'il a.»

Ce texte est très court et très percutant. Ce qui me touche dans cette parole, et j'ai mis du temps à la comprendre, c'est quand Dieu dit: «Je me servirai de la même mesure à votre endroit que celle que vous utiliserez pour les autres.» J'ai beaucoup prié, j'ai beaucoup réfléchi à cette parole-là, et j'en ai conclu que nous serons jugés dans la même mesure que nous jugeons les gens qui nous entourent; on nous pardonnera dans la mesure où nous pardonnons à ceux qui nous côtoient, quand nous arriverons au Royaume des cieux. Que chacun et chacune de nous soient bien attentif: nous avons la chance d'être chrétiens, mais nous avons aussi des responsabilités. Quand nous voyons autour de nous des gens qui ne semblent peut-être pas mener une vie chrétienne parfaite, quand nous voyons des gens qui sont peut-être différents, qui ont vécu un divorce, qui vivent en union libre, peu importe leur situation de vie, ce n'est pas à nous de les juger. Ça se passe entre Dieu et eux. Avant de porter de jugements sur les gens, rappelez-vous toujours cette parole: «Je me servirai de la même mesure à votre endroit de celle que vous utiliserez pour juger les autres», vous dit Dieu.

Gardez-vous de juger vos semblables, et avant de condamner quelqu'un, dites-vous que si une personne agit de telle ou telle façon, c'est peut-être parce qu'il s'est passé quelque chose dans sa vie. Elle a peut-être été blessée profondément dans son enfance, et ça, le Seigneur le sait. Quand on est porté à juger et à critiquer les gens qui nous entourent, il faut se rappeler que quand nous arriverons devant Dieu, cette même mesure dont nous aurons fait usage pour les autres nous sera servie.

Pour illustrer ce propos, un prêtre, un jour, avait raconté une histoire facile à comprendre et qui m'a beaucoup touché. C'est l'histoire de deux dames qui vivaient ensemble; l'une était extrêmement riche, elle organisait des banquets, elle recevait des gens toujours bien vêtus, toujours bien en vue, une femme que tout le monde connaissait. Elle vivait avec sa servante, et tout ce qui comptait dans la vie de cette servante, c'était de servir la dame riche avec qui elle vivait. Elle la traitait toujours aux petits oignons, elle lui préparait ses repas et faisait tout pour la rendre heureuse. Or il arriva qu'un jour la dame et sa servante moururent toutes deux lors d'un accident d'automobile et elles se présentèrent ensemble au paradis devant saint Pierre qui accueillit d'abord la servante et lui demanda: «Qu'est-ce que vous avez fait dans la vie?» Elle répondit aussitôt: «Moi, j'ai tout donné à ma maîtresse, j'ai toujours été aux petits soins avec elle, j'ai toujours voulu la rendre heureuse, j'ai tout fait et je me suis oubliée totalement pour qu'elle soit heureuse.» Saint Pierre lui fit signe et lui dit: «Voici l'entrée du paradis, voici votre demeure, vous l'aurez pour l'éternité.» Il s'agissait d'un château avec des chutes; c'était d'une beauté extraordinaire! La servante ne comprenait pas trop pourquoi c'était si beau que ça, mais saint Pierre lui dit: «C'est comme ça.»

Arrive la dame très riche qui se dit en elle-même: «Si ma servante à eu tout ça, moi je vais sûrement avoir quelque chose de cent fois mieux!» Saint Pierre lui demande: «Qu'est-ce que vous avez fait dans la vie? — Moi, répondit-elle, j'étais une femme riche, j'ai toujours organisé des banquets, j'étais une femme importante, etc., et je suis très contente pour ma servante qui vient d'avoir une très belle maison, et je sais que pour moi vous aurez sûrement quelque chose de merveilleux!» Alors, saint Pierre lui dit: «Voyez, là c'est la porte du paradis, et tout à côté, voici votre maison.» La femme voit quatre piquets et un toit de tôle, elle ne comprend pas ce qui se passe et dit à saint Pierre: «Vous vous êtes sûrement trompé, sans doute que la maison que vous avez donnée à ma servante, c'est la mienne.» Saint Pierre dit: «Non, au ciel, la façon dont ça fonctionne, c'est qu'on bâtit votre demeure éternelle avec les matériaux que vous nous avez fournis pendant votre vie sur terre. Madame, durant toute votre vie, c'est vrai que vous avez été importante, mais lorsque vous faisiez des banquets, c'était pour vous, pour vous valoriser, alors que votre servante était toujours à votre service; elle voulait toujours vous faire plaisir, et vous, lorsque vous organisiez des banquets et de grandes fêtes, c'était toujours par orgueil, toujours pour vous.»

Cette histoire fait beaucoup réfléchir. Durant toute notre vie, le Seigneur nous prépare déjà une demeure avec les matériaux que nous lui donnons. Il ne faut pas l'oublier. On dit dans le Notre Père — et ce qui me fait de la peine, c'est de voir des gens qui disent le Notre Père tellement vite qu'ils ne savent pas ce que signifient les mots qu'ils récitent: «Pardonne-nous nos offenses *comme* nous pardonnons aussi à ceux qui nous ont offensés.» C'est important dans notre vie. Nous avons tous quelqu'un qui nous a déjà fait du mal, qui nous a blessés. Si nous voulons que Dieu nous pardonne et nous ouvre son cœur tout grand, quand nous arriverons devant Lui, il faudra, nous aussi être capables de pardonner à ceux qui nous ont fait du mal. C'est vrai que ce n'est pas humain, de dire devant des milliers de personnes dont quelques-unes vous ont déjà blessé, vous ont fait beaucoup de peine et, vous vous dites que jamais vous ne pourrez pardonner ça. Demandez à Dieu parce que pardonner ce n'est pas humain. Il n'y a que lui qui puisse vous donner cette grâce intérieure qui vous incitera à dire: «C'est vrai que tu m'as fait du mal, mais je veux te pardonner.»

Dites-vous que la même mesure donc vous vous serez servi pour les autres, Dieu s'en se servira dans votre cas. J'espère que cette phrase-là, vous allez y réfléchir toute la semaine. Avant de juger quelqu'un sur la route, avant de juger votre belle-sœur ou votre beau-frère, avant de juger qui que ce soit dans votre famille et de condamner, dit-vous: «Est-ce que c'est vraiment le regard de Dieu que je porte sur cette personne-là?» Je suis bouleversé, j'en ai déjà parlé, de voir des gens qui se disent de très bons chrétiens, qui vont à la messe régulièrement, mais aussitôt qu'ils en ont la chance, se permettent de critiquer et de juger la personne qui est à côté d'eux. Ça doit déplaire terriblement à Jésus qui nous a dit: «Ne jugez pas et vous ne serez pas jugé, ne condamnez pas et vous ne serez pas condamné.» Avant de juger quelqu'un, la prochaine fois, prenons le temps de nous poser comme question, comme je l'ai dit il y a un moment: «Si je menais la même vie que cette personne-là, si j'avais eu les même parents, et vécu les mêmes épreuves que cette personne-là, est-ce que je serais vraiment mieux?» J'espère que cette semaine on pourra se poser cette question-là et se rappeler cette phrase: «De la même mesure dont vous vous servirez, moi, dit Dieu, je m'en servirai pour chacun de vous.» J'aimerais qu'on prenne quelques secondes pour prier ensemble:

Seigneur Jésus, comme il est percutant ce texte. Fais-nous prendre conscience à quel point Tu comptes sur nous et que Tu as besoin de nous. Pardonne-nous pour toutes les fois où nous sommes portés à juger rapidement et à condamner les gens qui nous entourent. Donne-nous Ton regard à Toi afin que nous cessions de porter nos jugements sur tous et chacun. Aide-nous à devenir de vrais chrétiens afin que Tu puisses être fier de nous. Fais que nous ayons de plus en plus la responsabilité d'annoncer Ton nom et d'avoir un visage de croyant.

Amen.

Sylvain Charron

Jean Ravary & Sylvain Charron

Jean Ravary & Sylvain Charron

Jean Ravary & Sylvain Charron

Jean Ravary & Sylvain Charron

Jean Ravary & Sylvain Charron
Jean Ravary & Sylvain Charron
Jean Ravary & Sylvain Charron